人間詞話

第二冊

王國維 著

崇賢書院 釋譯

北京聯合出版公司

屈原九歌湘君：君不行兮夷猶，蹇誰留兮中洲。美要眇兮宜修。

一三

古詩云：「誰能思不歌？誰能飢不食？」①詩詞者，物之不得其平而鳴者也②。故「歡愉之辭難工，愁苦之言易巧」③。

注釋 ①節選自《樂府詩集·子夜歌》：誰能思不歌？誰能飢不食？日冥當户倚，惆悵底不憶？②韓愈《送孟東野序》：「大凡物不得其平則鳴。草之無聲，風撓之鳴；水之無聲，風蕩之鳴；其躍也，或激之；其趨也，或梗之；其沸也，或炙之；金石之無聲，或擊之鳴；人之于言也，亦然。有不得已者而後言，其歌也有思，其哭也有懷，凡出乎口而爲聲者，其皆有不平者乎？」③韓愈《荆譚唱和詩序》，原文是：「夫和平之音淡薄，而愁思之聲要妙，歡愉之辭難工，而窮苦之言易好也。故夫文章之作，恒發于羈旅、草野，至若王公貴人，氣滿志得，非性能而好也，則不暇以爲。」

今譯 古詩說：「誰能思不歌？誰能飢不食？」詩詞是因爲遭遇不平而發出的。所以說：「歡愉之辭難工，愁苦之言易巧。」

一四

社會上之習慣，殺許多之善人。文學上之習慣，殺許多之天才。

今譯 社會上的陳規陋習，會扼殺許多善良純潔的人。文學上的陳規陋習，會毀掉許多天才。

一五

詞之爲體，要眇宜修。能言詩之所不能言，而不能盡言詩之所能言。詩之境闊，詞之言長。

今譯 詞這種文學體裁，是含蓄而又優美的。它雖然能夠表達詩難以表達的情感，卻不能取代詩的表達。詩的意境寬闊，詞的韻味悠長。

一六

言氣質，言神韻，不如言境界。有境界，本也。氣質，神韻，末也。有境界而二者隨之矣。

今譯 追求氣質、追求神韻，都不如追求境界。境界是本，氣質、神韻是末。有境界自然也會有氣質、有神韻。

一七

「西風吹渭水，落日滿長安。」①美成以之入詞②，白仁甫以之入曲③，此借古人之境界爲我之境界者也。然非自有境界，古人亦不爲我用。

注釋　①賈島《憶江上吴處士》：閩國揚帆去，蟾蜍虧復圓。秋風吹渭水，落葉滿長安。此地聚會夕，當時雷雨寒。蘭橈殊未返，消息海雲端。②周邦彦《齊天樂·秋思》：緑蕪凋盡臺城路，殊鄉又逢秋晚。暮雨生寒，鳴蛩勸織，深閣時聞裁剪。雲窗静掩。嘆重拂羅裀，頓疏花簟。尚有練囊，露螢清夜照書卷。　荆江留滯最久，故人相望處，離思何限。渭水西風，長安亂葉，空憶詩情宛轉。憑高眺遠。正玉液新篘，蟹螯初薦。醉倒山翁，但愁斜照斂。③白樸《雙調得勝樂》：（秋）玉露冷，蛩吟砌。聽落葉西風渭水。寒雁兒長空嘹唳。陶元亮醉在東籬。又，白樸《梧桐雨》雜劇第二折《普天樂》：恨無窮，愁無限。争奈倉促之際，避不得蓦嶺登山。鑾駕遷。成都盼。更哪堪滻水西飛雁，一聲聲送上雕鞍。傷心故園，西風渭水，落日長安。

今譯　「西風吹渭水，落日滿長安」，周邦彦把這種境界化入詞中，白樸把它化入曲中。這是借用古人的境界來創造自己的新境界。但是如果自己没有境界，那麽這種對前人境界的化用也不會成功。

一八

昔人論詩詞，有景語、情語之别。不知一切景語，皆情語也。

今譯　以前的人評論詩詞，有寫景之語和抒情之語的分别。然而他們不知道一切寫景之語其實都是抒情之語。

一九

「豈不爾思，室是遠而。」孔子譏之①。故知孔門而用詞，則牛嶠②之「甘作一生拚，盡君今日歡」③等作，必不在見删之數。

注釋　①《論語·子罕》中記載：「『唐棣之花，偏其反爾，豈不爾思，室是遠而。』子曰：『未之思也，夫何遠之有？』」②牛嶠：生卒年不詳，字松卿，一字延峰，臨州狄道（今甘肅臨洮）人，唐宰相牛僧孺之孫。王建建蜀稱帝，其拜給事中，故又稱爲「牛給事」。其人博學善文，以歌詩著名。③牛嶠《菩薩蠻》：玉樓冰簟鴛鴦錦，粉融香汗流山枕。簾外轆轤聲，斂眉寒笑驚。柳陰煙漠漠，低鬢蟬釵落。須作一生拚，盡君今日歡。

今譯 「難道我不想想念你，是因爲家住得太遙遠了」，孔子曾對此加以譏諷，認爲這位詩人的感情不真實。由此可見，如果孔子選錄詞的話，那麼牛嶠的「甘作一生拚，盡君今日歡」等詞作，應該不屬于被刪除之列。

二十

詞家多以景寓情。其專作情語而絶妙者，如牛嶠之「甘作一生拚，盡君今日歡」、顧敻①之「換我心，爲你心，始知相憶深」②、歐陽修之「衣帶漸寬終不悔，爲伊消得人憔悴」③、美成之「許多煩惱，只爲當時，一餉留情」④，此等詞古今曾不多見，余《乙稿》⑤中頗於此方面有開拓之功。

注釋 ①顧敻：生卒年不詳。曾仕前蜀，後又爲後蜀太尉，故又稱「顧太尉」。顧敻性詼諧，善小詞，詞風與温庭筠相近。②顧敻《訴衷情》：永夜抛人何處去？絶來音。香閣掩，眉斂，月將沈。爭忍不相尋？怨孤衾。換我心，爲你心，始知相憶深。③本詞作者一説爲柳永。④周邦彦《慶宫春》：雲接平岡，山圍寒野，路回漸轉孤城。衰柳啼鴉，驚風驅雁，動人一片秋聲。倦途休駕，淡煙裏，微茫見星。塵埃憔悴，生怕黄昏，離思牽縈。華堂舊日逢迎。花艶參差，香霧飄零。弦管當頭，偏憐嬌鳳。夜深簧暖笙清。眼波傳意，恨密約、匆匆未成。許多煩惱，衹爲當時，一餉留情。⑤《乙稿》：指王國維的《人間詞乙稿》。

今譯 詞人經常采取寓情于景的寫法。那種專門作情語而又絶妙的好句子，比如牛嶠的「甘作一生拚，盡君今日歡」、顧敻的「換我心爲你心，始知相憶深」、歐陽修的「衣帶漸寬終不悔，爲伊消得人憔悴」、周邦彦的「許多煩惱，祇爲當時，一餉留情」，這些都是不可多得的好詞。我的《人間詞乙稿》在這方面頗有開拓之功。

二一

長調自以周、柳、蘇、辛爲最工。美成《浪淘沙慢》二詞，精壯頓挫，已開北曲之先聲。若屯田之《八聲甘州》玉局之《水調歌頭》（中秋寄子由），則佇興之作，格高千古，不能以常詞論也。

【今譯】長調自然是以周邦彥、柳永、蘇軾、辛棄疾寫得最好。周邦彥的兩首《浪淘沙慢》，抒寫精緻，意境壯闊，聲韻頓挫，已開北曲之先聲。至于柳永的《八聲甘州》和蘇軾的《水調歌頭》（中秋寄子由），則興會神至，格調高絕千古，不能以一般的詞的標準來衡量和評論。

二二

稼軒《賀新郎》詞（送茂嘉十二弟）①，章法絶妙。且語語有境界，此能品而幾於神者。然非有意爲之，故後人不能學也。

【注釋】①辛棄疾《賀新郎》：（送茂嘉十二弟）綠樹聽鵜鴂。更那堪、鷓鴣聲住，杜鵑聲切！啼到春歸無尋處，苦恨芳菲都歇。算未抵人間離別。馬上琵琶關塞黑，更長門翠輦辭金闕。看燕燕，送歸妾。　將軍百戰身名裂。向河梁、回頭萬里，故人長絶。易水蕭蕭西風冷，滿座衣冠似雪。正壯士悲歌未徹。啼鳥還知如許恨，料不啼清淚長啼血。誰共我，醉明月？

【今譯】辛棄疾的《賀新郎》（送茂嘉十二弟），章法絶妙，並且句句都有境界，這是因爲他對意境的理解已經達到出神入化的地步了。然而這首詞並非有意結構修飾，而是心有靈犀，自然流出，所以後人無法學習。

二三

「暮雨瀟瀟郎不歸」①，當是古詞，未必即白傅②所作。故白詩云：「吳娘夜雨瀟瀟曲，自別蘇州更不聞」③也。

【注釋】①白居易《長相思》：深畫眉，淺畫眉，蟬鬢鬅鬙雲滿衣。陽臺行雨回。　巫山高，巫山低，暮雨瀟瀟郎不歸。空房獨守時。②白傅：白居易（七七二—八四六），字樂天，自號醉吟先生、香山居士。原籍太原，後遷居下邽（今陝西渭南），生于新鄭（今河南新鄭）。白居易曾擔任過太子少傅之職，故有「白傅」之稱。白居易是中唐時期的重要詩人，他的詩歌主張和詩歌創作，在中國詩史上占有極爲重要的地位。③白居易《寄殷協律》：五歲優游同過日，一朝消散似浮雲。琴侍酒伴皆抛我，雪月花時最憶君。幾度聽鷄歌白日，亦曾騎馬詠紅裙。吴娘暮雨瀟瀟曲，自別江南更不聞。

今譯 「暮雨瀟瀟郎不歸」，應當是古代的歌詞，不一定就是白居易自己所寫。所以白居易才在詩中説：「吴娘夜雨瀟瀟曲，自別蘇州更不聞」。

二四

稼軒《賀新郎》詞：「柳暗凌波路。送春歸、猛風暴雨，一番新綠。」又《定風波》詞：「從此酒酣明月夜。耳熱。」「綠」「熱」二字，皆作上去用。與韓玉《東浦詞》《賀新郎》以「玉」「曲」葉「注」「女」，《卜算子》以「夜」「謝」葉「食」「月」，已開北曲四聲通

押之祖。

今譯 辛棄疾的《賀新郎》詞「柳暗凌波路。送春歸、猛風暴雨，一番新綠」和《定風波》詞「從此酒酣明月夜。耳熱」中的「綠」「熱」二字都作上去聲讀。這種用法，韓玉也已使用。他詞集中的《賀新郎》詞以「玉」「曲」與「注」「女」葉韻，《卜算子》中以「夜」「謝」與「食」（當爲「節」）、「月」葉韻，這已開北宋詞中四聲通押一韻的先河。

二五

譚復堂①《篋中詞選》謂：「蔣鹿潭②《水雲樓詞》與成容若③、項蓮生④，二百年間，分鼎三足。」然《水雲樓詞》小令頗有境界，長調惟存氣格。《憶雲詞》亦精實有餘，超逸不足，皆不足與容若比。然視臯文⑤、止庵⑥輩，則倜乎遠矣。

注釋 ①譚復堂：譚獻（一八三二—一九〇一），原名廷獻，字仲修，號復堂，浙江仁和人。譚獻工駢體文，于詞學致力尤深。其所選清人詞爲《篋中詞》，極爲精審，學者奉爲圭臬。②蔣鹿潭：

蔣春霖（一八一八—一八六八），字鹿潭，江蘇江陰人。蔣春霖曾致力于詩，中歲悉催燒之，遂一意于詞。其詞善于刻畫衰颯意境，渲染愁苦情思，再現戰爭災難。晚年刪存數十闋，名爲《水雲樓詞》。③成容若：納蘭性德。④項蓮生：項廷紀（一七九八—一八三五），原名繼章，又名鴻祚，字蓮生，浙江錢塘人，清代著名詞人。其嘗自謂：「生幼有愁癖，故其情艷而苦，其感于物也鬱而深。」由此可見其風格。詞集名爲《憶雲詞》。⑤臯文：張惠言。見前注。⑥止庵：周濟。見前注。

今譯 譚獻在《篋中詞選》中認爲：蔣春霖的《水雲樓詞》與納蘭性德和項廷紀的詞在二百多年中分鼎三足。但是《水雲樓詞》的小令雖然很有境界，長調卻衹有氣格。項廷紀的《憶雲詞》則精緻有餘，超逸不足，都不能與納蘭性德相比。但是他們比起張惠言、周濟等人，則高明多了。

二六

賀黄公裳①《皺水軒詞筌》云：「張玉田《樂府指迷》②其調

葉宮商，鋪張藻繪抑亦可矣，至於風流蘊藉之事，真屬茫茫。如啖官廚飯者，不知牲牢之外別有甘鮮也。」此語解頤。

注釋 ①賀黃公裳：賀裳，字黃公，清代詞論家。②《樂府指迷》：爲南宋沈義夫所作，張炎所作詞話爲《詞源》。

今譯 賀裳在他《皺水軒詞筌》中說：張炎的《樂府指迷》（應爲《詞源》）一書論及音律、修辭還略有可觀，說到風流蘊藉之事，則顯得茫無所致，好像吃慣公家大伙房的人，不知道牛羊之外還有別的美味。這句話很有意思。

二七

周保緒濟《詞辨》云：「玉田，近人所最尊奉，才情詣力亦不後諸人，終覺積穀作米、把攬放船，無開闊手段。」又云：「叔夏①所以不及前人處，只在字句上著功夫，不肯換意。」「近人喜學玉田，亦爲修飾字句易，換意難。」②

注釋 ①叔夏：張炎，字叔夏，號玉田，詳見前注。②周濟在《介存齋論詞雜著》中的原文爲：「玉田，近人所最尊奉，才情詣力亦不後諸人，終覺積穀作米、把攬放船，無開闊手段；然其清絕處，自不易到。」「叔夏所以不及前人處，衹在字句上著功夫，不肯換意，若其用意家者，即字字珠輝玉映，不可指摘。近人喜學玉田，亦爲修飾字句易，換意難。」

今譯 周濟在《詞辨》中說：「張炎是近人所最尊奉的詞人，他的才力造詣並不亞于別人，然而總覺好像把一點一點的穀子積攢起來後才去舂米，抓住纜繩在河裏行船的樣子，沒有縱橫捭闔的感覺，因而境界不夠開闊。」周濟又說：「張炎之所以不如前人，是因爲他衹在字句上下工夫，不肯創新意境。」「近人喜歡學習張炎的詞，也是因爲修飾字句容易，創造意境困難的緣故。」

二八

詞家時代之說，盛於國初。竹垞①謂：詞至北宋而大，至南宋而深。後此詞人，群奉其說。然其中亦非無具眼者。周保緒曰：「南

宋下不犯北宋抽率之病，高不到北宋渾涵之詣。」又曰：「北宋詞多就景敍情，故珠圓玉潤，四照玲瓏。至稼軒、白石，一變而爲即事敍景，使深者反淺，曲者反直。」潘四農德輿②曰：「詞濫觴於唐，暢于五代，而意格之閎深曲摯，則莫盛於北宋。詞之有北宋，猶詩之有盛唐。至南宋則稍衰矣。」劉融齋熙載曰：「北宋詞用密亦疏、用隱亦亮、用沈亦快、用細亦闊、用精亦渾。南宋衹是掉轉過來。」可知此事自有公論。雖止弇詞頗淺薄，潘、劉尤甚。然其推尊北宋，則與明季雲間諸公③同一卓識也。

注釋

①竹垞：朱彝尊（一六二九—一七〇九），字錫鬯，號竹垞，又號金風亭長、小長蘆釣魚師，浙江秀水（今浙江嘉興）人。朱彝尊博通經史，工詩詞古文，是清初著名的經學家和文學家。其詩與王士禎並爲南北二宗；其詞與陳維崧合稱「朱陳」，共執詞壇牛耳。朱彝尊推尊詞體，崇尚醇雅，宗法南宋，開創了浙西詞派，拓展了清詞的新格局。其詞音律和諧、蘊藉空靈、清醇高雅，又順應太平爲盛世之音，故而其流風綿亘康、雍、乾三世而不衰。②潘四農德輿：潘德輿（一七八五—一八三九），字彥輔，號四農，清代文學家。③明季雲間諸公：指明末詞人陳子龍、宋征輿、李雯，三人皆爲松江華亭（今上海松江）人，時稱「雲間三子」（雲間乃松江的古稱）。

今譯

詞的發展分爲不同時期的說法，盛于清朝初年。朱彝尊說：「詞到了北宋而境界闊大，到了南宋則轉爲精深。後來的詞人，大都尊奉這一說法。然而其中也並非沒有獨具慧眼的人。周濟就說：「南宋之詞下不犯北宋樸拙粗率的毛病，高不到北宋詞渾重深厚的境地。」又說：「北宋詞多是觸景生情，因而珠圓玉潤，四照玲瓏。到辛棄疾、姜夔，一變而爲就事寫景，使得深沈變成淺薄，委婉變成了直露。」潘德輿說：「詞起源于唐，發展于五代，而意境、格調達到極盛時則在北宋，詞之有北宋，就如同詩之有盛唐一樣，詞到南宋就開始走下坡路了。」劉熙載說：「北宋的詞即使意象密集也顯得氣韻疏朗，即使詞語隱晦也顯得明快敞亮，即使情緒沈鬱也顯得清爽昂揚，即使境界深婉也顯得開闊空廣，即使運語雕琢也顯得渾融妥帖。而到南宋則倒轉過來了。」由此可知，對于詞的評價自有公論。雖然周濟本人的詞很淺薄，潘德輿、劉熙載的詞更差，但是推崇北宋詞的觀點，則與明末「雲間三子」一樣具有遠見卓識。

二九

唐五代北宋之詞，可謂「生香真色」①。若雲間諸公，則彩花耳。湘真②且然，況其次也者乎？

注釋 ①王士禛《花草蒙拾》：「『生香真色人難學』，爲『丹青女易描，真色人難學』所從出。千古詩文之訣，盡此七字。」②湘真：陳子龍（一六〇八—一六四七），字卧子，號大樽，華亭（今上海松江）人。清兵攻破南京後，其曾組織抗清活動，後被捕，投水而死。陳子龍是明末復社和幾社文人中的重要代表。他的創作以詩見長。湘真指他的詞集《湘真閣》。

今譯 唐五代北宋之詞，可以說是「生香真色」。而像明末雲間派諸位詞人的作品，則如同彩色的紙花。陳子龍的詞尚且如此，更何況那些還不如他的人呢？

三十

《衍波詞》①之佳者，頗似賀方回。雖不及容若，要在錫鬯、其年②之上。

注釋 ①《衍波詞》：清人王士禎的詞集。②其年：陳維崧（一六二五—一六八二），字其年，號迦陵，江蘇宜興人。陳維崧學識淵博，性情豪邁，哀樂過人，才情卓越。其詞風導源于蘇辛，善于以豪情抒悲憤，使豪放詞在清初重又大放异彩。他繼承《詩經》和白居易「新樂府」的精神，賦予詞以沈重的歷史使命感，乃至有「詞史」之譽。他的詞睥睨跋扈，悲慨健舉，爲陽羡詞派的一代詞宗，與浙西詞派的朱彝尊齊名，並有合刻詞集《朱陳村詞》行世。

今譯 王士禎《衍波詞》中的優秀作品，和賀鑄的詞很相似。雖然不如納蘭性德，但總的看來，還在朱彝尊和陳維崧之上。

三一

近人詞如《復堂詞》①之深婉，《彊村詞》②之隱秀，皆在吾家半塘老人③上。彊村學夢窗而情味較夢窗反勝，蓋有臨川④、廬陵⑤之高華，而濟以白石之疏越者。學人之詞，斯爲極則。然古人自然神妙處，尚未夢見。

注釋 ①復堂：譚獻，見前注。②彊村：朱孝臧（一八五七—一九三一），一名祖謀，字古微，號彊村，浙江歸安（今湖州）人，近代著名詞人。其與王鵬運、況周頤和鄭文焯合稱「清季四大詞人」。③半塘老人：王鵬運（一八四九—一九〇四），字幼遐，號半塘老人、鶩翁，廣西臨桂（今桂林）人，原籍浙江山陰，清末著名詞人。他的《四印齋所刻詞》，以漢學家功夫校勘詞集，首開詞家校勘之學。④臨川：王安石（一〇二一—一〇八六），字介甫，號半山，撫州臨川（今江西臨川）人。北宋著名的政治家、文學

家，是北宋詩文革新運動的有力推動者。王安石爲古文八大家之一，尤長于詩，其詩多議論，有散文化的傾向，晚年小詩風格深婉，意境清新，有唐人餘味，其詩後人號爲「王荆公體」。⑤廬陵：歐陽修。

今譯 近人的詞，如譚獻詞的深切委婉，朱孝臧詞的含蓄清秀，都在我的本家王鵬運的詞之上。朱孝臧學習吳文英而情味反比其高，大體上已有王安石、歐陽修的高妙華美，而又濟之以姜夔的疏朗清越。學前人的詞，能達到這種地步，可以說已是最高的水平了。但是古人自然神妙之處，還是無法達到。

三二

宋直方①《蝶戀花》：「新樣羅衣渾棄卻，猶尋舊日春衫著。」②譚復堂《蝶戀花》：「連理枝頭儂與汝，千花百草從渠許。」③可謂寄興深微。

注釋 ①宋直方：宋征輿（一六一八—一六六七），字直方，一

字轅文，松江華亭（今上海松江）人。明末與陳子龍、李雯等倡幾社，以古學相砥礪，三人合稱爲「雲間三子」。可參照前注釋。②宋征輿《蝶戀花》：寶枕輕風秋夢薄，紅斂雙蛾，顛倒垂金雀。新樣羅衣渾棄卻，猶尋舊日春衫著。　偏是斷腸花不落，人苦傷心，鏡裏顏非昨。曾誤當初青女約，衹今霜夜思量著。③譚獻《蝶戀花》：帳裏迷離香似霧，不燼爐灰，酒醒聞餘語。連理枝頭儂與汝，千花百草從渠許。　蓮子青青心獨苦，一唱將離，日日風兼雨。豆蔻香殘楊柳暮，當時人面無尋處。

今譯　宋征輿在《蝶戀花》中說：「新樣羅衣渾棄卻，猶尋舊日春衫著。」譚獻在《蝶戀花》中也說：「連理枝頭儂與汝，千花百草從渠許。」這兩首詞可謂寄興深沈微妙。

三三

《半塘丁稿》中和馮正中《鵲踏枝》十闋，乃《鶩翁詞》之最精者。「望遠愁多休縱目」等闋，鬱伊惝怳，令人不能爲懷。《定稿》只存六闋，殊爲未允也。

今譯　王鵬運《半塘丁稿》中和馮延巳《鵲踏枝》的十首詞，是《鶩翁詞》中最爲精善的作品。「望遠愁多休縱目」等闋，抑鬱惆悵，令人感慨良多。但是在他親自刪定的《半塘定稿》衹保存了其中的六首，這實在是不夠恰當。

三四

固哉，皋文之爲詞也！飛卿《菩薩蠻》、永叔《蝶戀花》、子瞻《卜算子》，皆興到之作，有何命意？皆被皋文深文羅織。阮亭《花草蒙拾》謂：「坡公命宮磨蠍，生前爲王珪、舒亶輩所苦，身後又硬受此差排。」由今觀之，受差排者，獨一坡公已耶？

今譯　張惠言對詞的解讀實在是迂腐了。溫庭筠的《菩薩蠻》，歐陽修的《蝶戀花》，蘇軾的《卜算子》，都是即興而作，哪裏有什麼命意？卻都被張惠言深文羅織。王士禛在《花草蒙拾》中說：「蘇軾真是命運多舛，他生前被王珪、舒亶等人斷章取義、羅織罪名，誰料身後卻又被張惠言曲解臆

蘇軾東坡志林云退之詩云我生之辰月宿直門乃知退之磨蠍爲身宮而僕乃以磨蠍爲命平生多得謗譽殆是同病也

度。現在看起來，被歪曲誤解的，又何止蘇軾一個人呢？

三五

賀黃公謂：「姜論史詞，不稱其『軟語商量』，而稱其『柳昏花暝』①，固知不免項羽學兵法之恨。」然「柳昏花暝」自是歐秦輩句法，前後有畫工化工之殊。吾從白石，不能附和黃公矣。

注釋 ①「軟語商量」和「柳昏花暝」都來自史達祖的《雙雙燕・詠燕》：過春社了，度簾幕中間，去年塵冷。差池欲住，試入舊巢相並。還相雕梁藻井，又軟語商量不定。飄然快拂花梢，翠尾分開紅影。芳徑，芹泥雨潤。愛貼地爭飛，競誇輕俊。紅樓歸晚，看足柳昏花暝。應自棲香正穩。便忘了、天涯芳信。愁損翠黛雙蛾，日日畫闌獨憑。

今譯 賀裳認爲：「姜夔評論史達祖的詞，不稱贊他的『軟語商量』，而稱贊其『柳昏花暝』，這就像項羽學兵法一樣，衹不過略知其意而已，這種看法實在是令人遺憾。」然而「柳昏花暝」本來是歐陽修、秦觀諸人的手筆，但歐秦諸人與史達祖相比，有畫工與化工的區別。我同意姜夔的看法，不能附和賀裳的觀點。

三六

「池塘春草謝家春，萬古千秋五字新。傳語閉門陳正字，可憐無補費精神。」此遺山《論詩絕句》也。夢窗、玉田輩當不樂聞此語。

今譯 「池塘春草謝家春，萬古千秋五字新。傳語閉門陳正字，可憐無補費精神。」這是元好問《論詩絕句》中的一則。吳文英、張炎等人肯定不喜歡聽這樣的話。

三七

朱子①《清邃閣論詩》謂：「古人有句，今人詩更無句，衹是一直說將去。這般一日作百首也得。」余謂北宋之詞有句，南宋以後便無句，如玉田、草窗②之詞，所謂「一日作百首也得」者也。

注釋 ①朱子：朱熹（一一三〇—一二〇〇），字元晦，號晦庵，別號紫陽，徽州婺源（今江西婺源）人，南宋最重要的理學家、文獻學家。宋代理學到他這裏發揚光大，成爲後世的統治思想。朱熹論文主張道爲本、文爲末，又强調文道一體，他在承認文學價值的同時也異化了文學的意義。但是朱熹爲人通達，往往對文學作品有比較精辟切實的論斷。②草窗：周密，見前注。

今譯 朱熹在《清邃閣論詩》一書中說：「古人的詩裏有警句，今人詩裏根本就沒有，衹不過是信口開河地說下去而已。這種詩一天作一百首也行。」我認爲北宋的詞有警句，南宋以後的詞則沒有，像張炎、周密之詞，就屬于那種「一天作一百首也行」的。

三八

朱子謂：「梅聖俞詩，不是平淡，乃是枯槁。」余謂草窗、玉田之詞亦然。

今譯 朱熹說：「梅堯臣的詩，不是平淡，而是枯槁。」我看周密、張炎的詞也是這樣。

自憐詩酒瘦難應接許多春色語出史達祖喜遷鶯爲一首詠元宵節詞

三九

「自憐詩酒瘦，難應接、許多春色。」①「能幾番遊？看花又是明年。」②此等語亦算警句耶③？乃值如許筆力。

注釋 ①史達祖《喜遷鶯》：月波疑滴，望玉壺天近，了無塵隔。翠眼圈花，冰絲織練，黃道寶光相直。自憐詩酒瘦，難應接、許多春色。最無賴，是隨香趁燭，曾伴狂客。 踪跡。謾記憶。老了杜郎，忍聽東風笛。柳院燈疏，梅廳雪在，誰與細傾春碧。舊情拘未定，猶自學、當年游歷。怕萬一，誤玉人、夜寒簾隙。②張炎《高陽臺》：（西湖春感）接葉巢鶯，平波捲絮，斷橋斜日歸船。能幾番游？看花又是明年。東風且伴薔薇住，到薔薇、春已堪憐。更凄然，萬綠西泠，一抹荒煙。 當年燕子知何處？但苔深韋曲，草暗斜川。見說新愁，如今也到鷗邊。無心再續笙歌夢，掩重門、淺醉閑眠。莫開簾，怕見飛花，怕聽啼鵑。③陸輔之《詞旨》中舉出警句九十二則，其中有「自憐詩酒瘦，難應接、許多春色」和

「見説新愁，如今也到鷗邊」「莫開簾，怕見飛花，怕聽啼鵑」。

今譯　「自憐詩酒瘦，難應接、許多春色」，「能幾番游？看花又是明年」，這樣的句子也能算是警句嗎？哪值得花費如此的氣力？

四十

文文山詞，風骨甚高，亦有境界，遠在聖與、叔夏、公謹諸公之上。亦如明初誠意伯詞，非季迪、孟載諸人所敢望也。

今譯　文天祥的詞風骨極高，也有境界。遠在蔣捷、張炎、周密等人之上。就如同明初劉基的詞，絕非高啓、楊基等人所可比一樣。

四一

和凝《長命女》詞：「天欲曉。宮漏穿花聲繚繞，窗裏星光少。冷霞寒侵帳額，殘月光沈樹杪。夢斷錦闈空悄悄。強起愁眉小。」此詞前半，不減夏英公《喜遷鶯》也。此詞見《樂府雅詞》、《歷代詩餘》選之。

今譯　和凝《長命女》詞：「天欲曉。宮漏穿花聲繚繞，窗裏星光少。冷霞寒侵帳額，殘月光沈樹杪。夢斷錦闈空悄悄。強起愁眉小。」這首詞的前半，不減夏英公《喜遷鶯》。這首詞見于《樂府雅詞》，《歷代詩餘》選錄了它。

四二

宋《李希聲詩話》云：「唐人作詩，正以風調高古爲主。雖意遠語疏，皆爲佳作。後人有切近的當、氣格凡下者，終使人可憎。」①余謂北宋詞亦不妨疏遠。若梅溪以降，正所謂「切近的當、氣格凡下」者也。

注釋　①李希聲：北宋詩人，引文見魏慶之《詩人玉屑》卷十引，郭紹虞《宋詩話輯佚》。

今譯　宋代《李希聲詩話》中說：「唐人作詩正是以風調高雅古樸爲主。雖然意旨淡遠辭語疏散，但都是佳作。後代詩人的作品有的情趣低下，總使人感到面目可憎。」我看北宋的詞也可稱疏遠。至于史達祖以後的詞人，正是屬于「情趣低下，品格鄙俗」的那種。

四三

毛西河《詞話》謂：趙德麟令畤作《商調鼓子詞》譜西廂傳奇，爲雜劇之祖。然《樂府雅詞》卷首所載秦少游、晁補之、鄭彥能（名僅）《調笑轉踏》，首有致語，末有放隊，每調之前有口號詩，甚似曲本體例。無名氏《九張機》亦然。至董穎《道宮薄媚》大麯詠西子事，凡十隻曲，皆平仄通押，則竟是套曲。此可與《弦索西廂》同爲曲家之蓽路。曾氏置諸《雅詞》卷首，所以別之于詞也。穎字仲達，紹興初人，從汪彥章、徐師川游，彥章爲作《字說》。見《書錄解題》。

今譯

毛奇齡在《詞話》中說：趙令畤所作的《商調鼓子詞》，譜寫西廂傳奇，爲雜劇之祖。但是在《樂府雅詞》卷首中所載秦觀、晁補之、鄭僅等人所作的《調笑轉踏》，前面有「致語」，最後有「放隊」，每調之前有口號詩，很像曲本體例。而無名氏的《九張機》也是這樣。到董穎的《道宮薄媚》大曲詠西施之事，共有十隻曲子，皆平仄通押，基本上屬于是套曲了。它與《西廂記諸宮調》都可以看作是元曲的創始之作。曾慥將它們放在《樂府雅詞》的卷首，以區別于詞。董穎（一一三一—一一六二）字仲達，南宋紹興人，與汪藻、徐俯等人交游，汪藻曾寫過一本《字說》，見《直齋書錄解題》。

四四

宋人遇令節、朝賀、宴會、落成等事，有「致語」一種。宋子京[1]、歐陽永叔、蘇子瞻、陳後山、文宋瑞集中皆有之。《嘯餘譜》列之于詞曲之間。其式：先「教坊致語」（四六文），次「口號」（詩），次「勾合曲」（四六文），次「勾小兒隊」（四六文），次「隊名」（詩二句），次「問小兒」「小兒致語」，次「勾雜劇」（皆四六文），次「放隊」（或詩或四六文）。若有女弟子隊，則勾女弟子隊如前。其所歌之詞曲與所演之劇，則自伶人定之。少游、補之之《調笑》乃並爲之作詞。元人雜劇乃以曲代之，曲中楔子、科白、上下場詩，猶是致語、口號、勾隊、放隊之遺也。此程明善[2]《嘯餘譜》所以列致語于詞曲之間者也。

注釋 ①宋子京：宋祁（九九八—一〇六一），字子京，安陸（今湖北安陸）人，北宋詞人。②程明善：字若水，明人。

今譯 宋人遇節令、朝賀、宴會、落成等事，會作「致語」。宋祁、歐陽修、蘇軾、陳師道、文天祥等人的文集中皆有記載。《嘯餘譜》將「致語」列于詞曲之間。其形式爲：先「教坊致語」（四六文），次「口號」（詩），次「勾合曲」（四六文），次「勾小兒隊」（四六文），次「隊名」（詩二句），次「問小兒」「小兒致語」，次「勾雜劇」（皆四六文），次「放隊」（或詩或四六文）。若有女弟子隊，就改成勾女弟子隊。其所歌之詞曲與所演之劇，則由演員決定。秦觀、晁補之的《調笑》中都用詞的形式，元人雜劇則用曲，曲中楔子、科白、上下場詩，仍然是繼承致語、口號、勾隊、放隊等形式而來。這就是程明善在《嘯餘譜》中把致語列于詞曲之間的原因。

四五

自竹垞痛貶《草堂詩餘》而推《絕妙好詞》①，後人群附和之。

不知《草堂》雖有褻諢之作，然佳詞恒得十之六七。《絕妙好詞》則除張、范、辛、劉②諸家外，十之八九，皆極無聊賴之詞。甚矣，人之貴耳賤目也。

注釋 ①《絕妙好詞》：詞總集。南宋周密編。選録南宋初期張孝祥至仇遠詞共一百三十二家近四百首。②張、范、辛、劉：指張孝祥、范成大、辛棄疾、劉過。

張孝祥（一一三二—一一六九），字安國，號于湖，和州烏江（今安徽和縣）人。張孝祥是辛派詞人的先驅者，其風格駿發踔厲，自成一家，藝術境界也別開生面，在詞史上具有重要的地位。

范成大（一一二六—一一九三），字致能，號石湖居士，平江昆山（今江蘇昆山）人。與陸游、楊萬里、尤袤合稱「中興四大詩人」。范成大以他的使金紀行詩和田園詩最爲著名，其詩語言自然清新，風格温潤委婉，少數作品峭拔瘦硬，藝術成就很高。

辛棄疾，見前注。劉過（一一五四—一二〇六），字改之，號龍洲道人，吉州太和（今江西泰和）人。宋子虛曾稱其爲「天下奇男子，平生以氣義撼當世」，曾上書朝廷提出恢復中原的方略，不爲所用。後浪跡江湖，以詞著名。劉過是辛棄疾的座上客，也是辛派詞人的重要代表。他以文爲詞，不守音律，造語狂宕，有時不免粗豪放肆，展現了江湖游士獨特的生活命運和個性風格。

今譯 自從朱彝尊極力貶低《草堂詩餘》而推崇《絕妙好詞》，後人都附和他的說法。不知道《草堂詩餘》雖有庸俗之作，但是十之六七都是好詞。而《絕妙好詞》則除張孝祥、范成大、辛棄疾、劉過等人外，十之八九，都是極無聊的作品。衆人貴耳賤目的毛病實在是太過了。

四六

明顧梧芳刻《尊前集》二卷，自爲之引。並云：明嘉禾顧梧芳編次。毛子晉刻《詞苑英華》疑爲梧芳所輯。朱竹垞跋稱：吳下得吳寬手鈔本，取顧本勘之，靡有不同，因定爲宋初人編輯。《提要》兩存其說。按《古今詞話》云：「趙崇祚《花間集》載溫飛

卿《菩薩蠻》甚多，合之呂鵬《尊前集》不下二十闋。」今考顧刻所載飛卿《菩薩蠻》五首，除「詠淚」一首外，皆《花間》所有，知顧刻雖非自編，亦非復呂鵬所編之舊矣。《提要》又云：「張炎《樂府指迷》雖云唐人有《尊前》《花間》集，然《樂府指迷》真出張炎與否，蓋未可定。陳直齋《書錄解題》『歌詞類』以《花間集》爲首，注曰：此近世倚聲填詞之祖，而無《尊前集》之名。不應張炎見之而陳振孫不見。」然《書錄解題》「陽春錄」條下引高郵崔公度語曰：「《尊前》《花間》往往謬其姓氏。」公度元祐間人，《宋史》有傳。北宋固有，則此書不過直齋未見耳。又案：黃昇《花庵詞選》李白《清平樂》下注云：「翰林應制」。又云：「案：唐呂鵬《遏雲集》載應制詞四首，以後二首無清逸氣韻，疑非太白所作」云云。今《尊前集》所載太白《清平樂》詞有五首，豈《尊前集》一名《遏雲集》，而四首五首之不同，乃花庵所見之本略異歟？又，歐陽炯《花間集序》謂：「明皇朝有李太白應制《清平樂》四首。」則唐末時祗有四首，豈末一首爲梧芳所羼入，非呂鵬之舊歟？

今譯 明朝顧梧芳刻有《尊前集》二卷，自爲之序。並云：明嘉禾顧梧芳編次。毛晉刻《詞苑英華》疑爲顧梧芳所編輯。朱彝尊跋稱：我在吳下得到吳寬的手抄本，用它和顧梧芳所刻本相互校勘，完全相同，因此定爲宋初人編輯。《四庫提要》兩存其說。按，《古今詞話》云：「趙崇祚《花間集》載溫飛卿《菩薩蠻》甚多，合之呂鵬《尊前集》不下二十闋。」今考顧刻所載飛卿《菩薩蠻》五首，除「詠淚」一首外，皆《花間》所有，因此知道顧刻雖非自編，也不是呂鵬所編的舊本了。《四庫提要》又云：「張炎《樂府指迷》雖云唐人有《尊前》《花間》集，然《樂府指迷》真出張炎與否，蓋未可定。陳直齋《書錄解題》『歌詞類』以《花間集》爲首，注曰：此近世倚聲填詞之祖，而無《尊前集》之名。不應張炎見之而陳振孫不見。」但是《直齋書錄解題》「陽春錄」條下引高郵崔公度語曰：「《尊前》《花間》往往謬其姓氏。」崔公度是北宋元祐年間的人，《宋史》有傳。

北宋肯定已經有《尊前集》了，衹是陳振孫沒有看到而已。又按：黃昇《花庵詞選》李白《清平樂》下注云：「翰林應制」。又云：「案：唐呂鵬《遏雲集》載應制詞四首，以後二首無清逸氣韻，疑非太白所作」云云。今《尊前集》所載太白《清平樂》詞有五首，也許《尊前集》又名《遏雲集》，而四首五首之不同，是因爲黃昇所見之本與今本《尊前集》所據之本不太一樣的緣故。又，歐陽炯《花間集序》謂：「明皇朝有李太白應制《清平樂》四首。」那麼唐末時衹有四首，也許末一首爲顧梧芳所羼入，不是呂鵬舊本所有。

四七

《提要》載：「《古今詞話》六卷，國朝沈雄纂。雄字偶僧，吳江人。是編所述上起于唐，下迄康熙中年。」然維見明嘉靖前白口本《箋注草堂詩餘》林外《洞僊歌》①下引《古今詞話》云：「此詞乃近時林外題於吳江垂虹亭。」（明刻《類編草堂詩餘》亦同）案：升庵②《詞品》云：「林外字豈塵，有《洞僊歌》書於垂虹

亭畔。作道裝，不告姓名，飲醉而去。人疑爲呂洞賓③。傳入宮中。孝宗笑曰：『「雲崖洞天無鎖」，「鎖」與「老」叶韻，則「鎖」音「掃」，乃閩音也。』偵問之，果閩人林外也。」（《齊東野語》④所載亦略同。）則《古今詞話》宋明時固有此書。豈雄竊此書而復益以近代事歟？又，《季滄葦書目》⑤載《古今詞話》十卷，而沈雄所纂衹六卷，益證其非一書矣。

注釋

①林外《洞僊歌》：飛梁壓水，虹影澄清曉。橘裏漁村半煙草。今來古往，物是人非，天地裏，唯有江山不老。雨中風帽。四海誰知我。一劍橫空幾番過。按玉龍、嘶未斷，月冷波寒。歸去也，林屋洞天無鎖。認雲屏煙障是吾廬，任滿地蒼苔，年年不掃。②升庵：楊慎（一四八八—一五五九），字用修，號升庵，蜀新都（今四川成都）人，明代著名學者。③呂洞賓：名巖，號純陽子，民間傳說中的「八僊」之一。④《齊東野語》：南宋周密所撰筆記。⑤《季滄葦書目》：季振宜撰。季振宜（一六三〇—？），

字誂兮，號滄葦，清代藏書家。

今譯 《四庫提要》載：「《古今詞話》六卷，國朝沈雄纂。雄字偶僧，吳江人。是編所述上起于唐，下迄康熙中年。」但是我見到的明嘉靖前白口本《箋注草堂詩餘》林外《洞僊歌》下引《古今詞話》云：「此詞乃近時林外題于吳江垂虹亭。」（明刻《類編草堂詩餘》亦同）按：楊慎的《詞品》云：「林外字豈塵，有《洞僊歌》書于垂虹亭畔。作道裝，不告姓名，飲醉而去。人疑爲呂洞賓。傳入宮中。孝宗笑曰：『「雲崖洞天無鎖」，「鎖」與「老」葉韻，則「鎖」音「掃」，乃閩音也。』偵問之，果閩人林外也。」（《齊東野語》所載亦略同。）那麼《古今詞話》一書，宋時已有。今本大概是沈雄竊取此書內容而又增加近代詞作所成。又，《季滄葦書目》載《古今詞話》十卷，而沈雄所纂衹有六卷，更證明沈雄之書與古本《古今詞話》不同。

四八

「君王枉把平陳業，換得雷塘數畝田」①，政治家之言也。「長陵亦是閑丘隴，異日誰知與仲多？」②，詩人之言也。政治家之眼，域於一人一事。詩人之眼，則通古今而觀之。詞人觀物，須用詩人之眼，不可用政治家之眼。故感事、懷古等作，當與壽詞同爲詞家所禁也。

注釋 ①羅隱《煬帝陵》：入郭登橋出登船，紅樓日日柳年年。君王忍把平陳業，衹換雷塘數畝田。（按：據《隋書·煬帝紀》：隋煬帝楊廣死後，宇文化及將他葬在吳公臺下，李淵平定江南後把他遷葬于雷塘。）②唐彥謙《仲山》：（高祖兄仲山隱居之所）千載遺踪寄薜羅，沛中鄉裏漢山河。長陵亦是閑丘隴，異日誰知與仲多？

今譯 「君王枉把平陳業，換得雷塘數畝田」，這是政治家的語言。「長陵亦是閑丘隴，異日誰知與仲多」，這是詩人的語言。政治家的眼界，局限于一人一事。而詩人的眼界，則通古今而觀之。詞人觀察事物，應該用詩人的眼界，而不可用政治家的眼界。所以感事、懷古等作，應當與壽詞同爲詞家所不應該涉獵的題材。

四九

宋人小說，多不足信。如《雪舟脞語》謂：台州知府唐仲友眷官妓嚴蕊奴。朱晦庵系治之。及晦庵移去，提刑岳霖行部至臺，蕊乞自便。岳問曰：去將安歸？蕊賦《卜算子》詞云「住也如何住」云云。案：此詞系仲友戚高宣教作，使蕊歌以侑觴者，見朱子《糾唐仲友奏牘》。則《齊東野語》所紀朱、唐公案，恐亦未可信也。

今譯　宋人筆記，多不足信。如《雪舟脞語》謂：台州知府唐仲友與官妓嚴蕊交好。朱熹將嚴蕊逮捕入獄治罪。等到朱熹調往別處，提刑岳霖到台州巡查，嚴蕊乞求平反。岳霖問她要去哪裏，嚴蕊賦《卜算子》詞云「住也如何住」云云。按：這首詞系仲友的親戚高宣教作，使蕊歌之以勸酒助興，見朱子《糾唐仲友奏牘》。《齊東野語》所記朱、唐公案，恐怕也不可信。

五十

唐五代之詞，有句而無篇。南宋名家之詞，有篇而無句。有篇有句，唯李後主降宋後之作，及永叔、子瞻、少游、美成、稼軒數人而已。

今譯　唐和五代的詞，雖然有警句，卻沒有全篇結構緊湊細密的作品。南宋名家的詞，雖然全篇結構緊湊細密，但卻沒有警句。既有緊湊細密的篇幅又有警句的，衹有李煜降宋後的作品，以及歐陽修、蘇軾、秦觀、周邦彥、辛棄疾這數位詞人而已。

五一

唐五代北宋之詞家，倡優也。南宋後之詞家，俗子也。二者其失相等。但詞人之詞，寧失之倡優，不失之俗子。以俗子之可厭，較倡優爲甚故也。

今譯　唐五代北宋的詞人，就好像娼妓優伶。南宋後的詞人，就如同凡夫俗子。二者的過失是大體相等的。但詞人之詞，寧失之倡優，也不要不失之俗子。因爲俗子的可厭，比倡優更甚。

五二

《蝶戀花》（獨倚危樓）一闋，見《六一詞》[1]，亦見《樂章集》[2]。

余謂：屯田輕薄子，衹能道「奶奶蘭心蕙性」③耳。「衣帶漸寬終不悔，爲伊消得人憔悴」，此等語固非歐公不能道也。

注釋 ①《六一詞》：歐陽修詞集。②《樂章集》：柳永詞集。

③柳永《玉女摇僊佩·佳人》：飛瓊伴侣，偶别珠宫，未返神僊行綴。取次梳妝，尋常言語，有得許多姝麗。擬把名花比。恐旁人笑我，談何容易。細思算、奇葩艷卉，惟是深紅淺白而已。争如這多情，佔得人間，千嬌百媚。　須信畫堂繡閣，皓月清風，忍把光陰輕棄。自古及今，佳人才子，少得當年雙美。且恁相偎倚。未消得，憐我多才多藝。願奶奶、蘭心蕙性，枕前言下，表余深意。爲盟誓。今生斷不孤鴛被。

今譯 《蝶戀花》（獨倚危樓）這首詞，見于《六一詞》，也見于《樂章集》。我認爲柳永乃輕薄之人，衹能説出「奶奶蘭心蕙性」這樣的話。而「衣帶漸寬終不悔，爲伊消得人憔悴」，這樣的佳句非歐陽修不能作出。

五三

讀《會真記》①者，惡張生之薄倖而恕其奸非。讀《水滸傳》者，恕宋江之横暴而責其深險。此人人之所同也。故艷詞可作，唯萬不可作儇薄語。龔定庵②詩云：「偶賦凌雲偶倦飛，偶然閒慕遂初衣。偶逢錦瑟佳人問，便説尋春爲汝歸。」③其人之凉薄無行，躍然紙墨間。余輩讀耆卿、伯可④詞，亦有此感。視永叔、希文⑤小詞何如耶？

注釋 ①《會真記》：《鶯鶯傳》，元稹作，唐代著名傳奇。寫張生與崔鶯鶯的愛情故事。後來董解元的《西厢記諸宫調》和王實甫的《西厢記》均取材于此。②龔定庵：龔自珍（一七九二—一八四一），字爾玉，又字璱人；更名易簡，字伯定；又更名鞏祚，號定盦，仁和（今浙江杭州）人。龔自珍出身仕宦，其父爲清代著名學者段玉裁的女婿。龔自珍自幼即通經學、文學，二十七歲中舉，三十八歲進士及第，然而終其一生衹擔任過地位卑微的小京官。道光十九年，因忤其長官辭官南歸，兩年後，暴卒于丹陽。龔自珍爲人恃才傲物，狂放不羈，他崇尚今文經學，密切關注現實，鼓吹變革，其思想極富叛逆性，對于現實政治的批評往往肆無忌憚，人目爲「狂怪」，其詩文凌厲剽悍，風格瑰奇，識見深刻，「以霸氣行之」。龔自珍是近代中國歷史轉折時期一位傑出的思想家和文學家。③此爲龔自珍《乙亥雜詩》三百十五首之一，見《定庵續集》。④伯可：康與之，字伯可，南宋詞人。⑤希文：范仲淹，見前注。

今譯　讀《會真記》的人，都會厭惡張生的薄倖而寬恕他的虛僞。讀《水滸傳》的人，會寬恕宋江的横暴而責備他的陰險。這些，人人的看法都是相同的。因此艷詞可作，衹是千萬不可作輕薄浮華之語。龔自珍的詩云：「偶賦凌雲偶倦飛，偶然閑慕遂初衣。偶逢錦瑟佳人問，便説尋春爲汝歸。」此人的凉薄無行，躍然紙墨間。我們讀柳永、康與之的詞，也會有這種感覺。他們的作品比起歐陽修、范仲淹的作品有多大的差距啊！

五四

詞人之忠實，不獨對人事宜然。即對一草一木，亦須有忠實之意，否則所謂游詞①也。

注釋　①游詞：金應珪《詞選後序》云：「近世爲詞，厥有三蔽：義非宋玉而獨賦蓬髮，諫謝淳于而唯陳履舄，揣摩床笫，污穢中冓，是謂淫詞，其蔽一也。猛起奮末，分言析字，詼嘲則俳優之末流，叫嘯則市儈之盛氣，此猶巴人振喉以和陽春，黽蜮怒嗌以調疏越，是謂鄙詞，其蔽二也。規模物類，依託歌舞，哀樂不衷其性，慮嘆無與乎情，連章累篇，義不出乎花鳥，感物指事，理不外乎酬應，雖既雅而不艷，斯有句而無章，是謂游詞，其蔽三也。」

今譯　詞人的忠實，不衹是對人、對事如此。即使是對一草一木，也同樣要有忠實之意，否則他寫出來的作品衹能算是游詞。

五五

楚辭之體，非屈子之所創也。《滄浪》《鳳兮》之歌已與三百篇

孟·離婁
滄浪之水清兮可以濯我纓，滄浪之水濁兮可以濯我足

異，然至屈子而最工。五、七律始於齊、梁而盛於唐。詞源於唐而大成於北宋。故最工之文學，非徒善創，亦且善因。

今譯　楚辭這種體裁，不是屈原的創造。《滄浪》《鳳兮》之歌已與《詩經》的詩歌傳統不同（已經具有楚辭的雛形），楚辭而到屈原那裏更爲工巧成熟。五七言律詩始于南朝齊、梁時代而興盛于唐代。詞發源于唐代而大成于北宋。所以最爲工巧成熟的文學，不僅僅是要善于創造，而且還要善于繼承。

五六

《滄浪》《鳳兮》二歌，已開楚辭體格。然楚辭之最工者，推屈原、宋玉，而後此王褒、劉向之詞不與焉。五古之最工者，實推阮嗣宗、左太沖、郭景純、陶淵明，而前此曹、劉，後此陳子昂、李太白不與焉。詞之最工者，實推後主、正中、永叔、少游、美成，而前此溫、韋，後此姜、吳，皆不與焉。

今譯　《滄浪》《鳳兮》二歌，已經開創了楚辭的體制。但是最爲工整精巧的楚辭，還是體現在屈原、宋玉身上，而後來的王褒、劉向的作品很難與之媲美。最工巧的五言古詩，體現在阮籍、左思、郭璞、陶淵明等人身上，而前代的曹植、劉楨，後來的陳子昂、李白都難與之比肩。最工巧的詞，體現在李煜、馮延巳、歐陽修、秦觀、周邦彥身上，而前代的溫庭筠、韋莊，後來的姜夔、吳文英，都算不上最好。

五七

讀《花間》《尊前》集，令人回想徐陵《玉臺新詠》。讀《草堂詩餘》，令人回想韋縠《才調集》。讀朱竹垞《詞綜》，張皋文、董子遠《詞選》（「子遠」原稿誤作「晉卿」），令人回想沈德潛《三朝詩別裁集》。

今譯　讀《花間》和《尊前》集，令人回想起徐陵的《玉臺新詠》。讀《草堂詩余》，令人回想起韋縠的《才調集》。讀朱彝尊的《詞綜》，張惠言、董毅的《詞選》，令人回想沈德潛的《三朝詩別裁集》。

五八

明季國初諸老之論詞，大似袁簡齋之論詩，其失也，纖小而輕

薄。竹垞以降之論詞者，大似沈歸愚，其失也，枯槁而庸陋。

今譯　明末清初的人論詞，很像袁枚論詩，他們的失誤之處在于纖小而輕薄。朱彝尊以後的論詞者，很像沈德潛，他們的失誤之處在于枯槁而庸陋。

五九

東坡之曠在神，白石之曠在貌。白石如王衍口不言阿堵物①，而暗中爲營三窟之計②，此其所以可鄙也。

注釋　①劉義慶《世說新語》云：「王夷甫（王衍）雅尚玄遠，常嫉其婦貪濁，口未嘗言『錢』字。婦欲試之，令婢以錢繞床不得行。夷甫晨起，見錢閡行，呼婢曰：『舉卻阿堵。』」阿堵，是六朝俗語，相當于「這」「這個」。後遂以「阿堵物」代指錢。

②《戰國策·齊策》中記載：齊人馮諼爲孟嘗君門客。他曾經替孟嘗君去薛地收租，臨行前他問孟嘗君：收完債後，買些什麽回來？孟嘗君說：你看我家裏缺什麽就買什麽。馮諼到薛地後，把債款賞賜給了百姓，焚燒了債券。孟嘗君知道後很不高興，馮諼卻說：您家裏缺少的衹有仁義，我給你買回來了。後來孟嘗君罷相回薛，薛地的百姓扶老攜幼去歡迎他。孟嘗君方悟馮諼前言。而馮諼又說：「狡兔有三窟，僅得免其死耳。今有一窟，未得高枕而卧也。請爲君復鑿二窟。」于是他又到梁國去游說，使梁惠王遣使者來聘請孟嘗君當宰相，齊王聽到這個消息十分害怕，馬上重新任命孟嘗君爲相。馮諼又勸孟嘗君請求齊王同意在薛地建立先王宗廟。廟成後，馮諼說：「三窟已就，君姑高枕爲樂矣。」

今譯　蘇軾的曠達在于他的神理，姜夔的曠達在于他的面貌。姜夔如王衍口不言阿堵物，而暗中爲營三窟之計，因此令人鄙夷。

六十

「紛吾既有此內美兮，又重之以修能。」①文學之事，於此二者，不可缺一。然詞乃抒情之作，故尤重內美②。無內美而但有修能，則白石耳。

注釋 ①見屈原《離騷》。②這裏所强調的「内美」，指詩人高尚的人格。王國維先生認爲，詩詞是抒情的，詩詞所具有的意境直接根源于詩人的人格，是詩人内在人格的外化，衹有高尚的人格才能創造出高超的意境，才能夠形成偉大的文學。他在《文學小言》中説：「三代以下之詩人，無過于屈子、淵明、子美、子瞻者。此四子者苟無文學之天才，其人格亦自足千古。故無高尚偉大之人格，而有高尚偉大之文學者，殆未之有也。」足見其對人格或者説詩人個人修養的重視。

今譯 「紛吾既有此内美兮，又重之以修能。」文學之事，對于内美和修能，不可缺一。但是詞是抒情性的文學體裁，所以尤其關注内美。如果沒有内美而衹有修能，就衹能達到姜夔那樣的水平。

六一

詩人視一切外物，皆游戲之材料也。然其游戲，則以熱心爲之。故詼諧與嚴重二性質，亦不可缺一也。

今譯 詩人把一切外物都看作是游戲的材料。然而所謂游戲，仍須以熱心爲之。所以詼諧與莊重，二者缺一不可。

六二

金朗甫作《詞選後序》，分詞爲「淫詞」「鄙詞」「游詞」三種①。詞之弊盡是矣。五代北宋之詞，其失也淫。辛、劉之詞，其失也鄙。姜、張之詞，其失也游。

注釋 ①金應珪《詞選後序》，見前注。

今譯 金應珪作《詞選後序》，分詞爲「淫詞」「鄙詞」「游詞」三種。詞的弊病可以説這裏都能包含了。五代北宋之詞，其弊病在于淫。辛棄疾、劉過之詞，其弊病在于鄙。姜夔、張炎之詞，其弊病在于游。

附錄二：人間詞

顧序

作序難，爲佳書作序尤難。蓋書既佳，則讀者具眼，自能領略之，不必待序之說明與吹噓。况乎珠玉在前，率爾成篇，必貽佛頭著糞之譏。或者自家有一段意思，藉爲書作序而發，借花獻佛，亦自可喜，顧隨今者則又無有。然而啓無師兄校注《人間詞》及《人間詞話》行將出版，顧隨終于爲之序者，則以一者師兄前次曾以序囑，亦即諾之，若不作，則是不信，二者顧隨平日喜讀此二書，茲欲假一序結香火因緣。三者邇來坊間翻印舊書，或加標點，或加箋注，而句讀往往訛謬，文字往往錯植，每一翻閱，心目俱爲之不快，師兄此書，標點正確，箋注詳明，校對更爲仔細，出版後以一册置案頭，明窗凈几之間，時一瀏覽，亦浮世偷生之賞心樂事，故益樂爲之序。若夫靜安先生之創作與議論，則又何需說明與吹噓乎？茲亦不贅云。二十二年十月顧隨序于舊京東城之蘿月齋。

人間詞甲稿序

王君靜安將刊其所爲人間詞，詒書告余曰：「知我詞者莫如子，叙之亦莫如子宜。」余與君處十年矣，比年以來，君頗以詞自娱。余雖不能詞，然喜讀詞，每夜漏始下，一燈熒然，玩古人之作，未嘗不與君同，君成一闋，易一字，未嘗不以訊余，既而睽離，苟有所作，未嘗不郵以示余也；然則余于君之詞，又烏可以無言乎？

夫自南宋以後，斯道之不振久矣。元明及國初諸老，非無警句也，然不免乎局促者，氣困于雕琢也；嘉道以後之詞，非不諧美也，然無救于淺薄者，意竭于摹擬也。君之于詞：于五代喜李後主、馮正中，于北宋喜永叔、子瞻、少游、美成，于南宋除稼軒、白石外，所嗜蓋鮮矣。尤痛詆夢窗、玉田，謂夢窗砌字，玉田壘句，一雕琢，一敷衍，其病不同，而同歸于淺薄，六百年來，詞之不振，實自此始，其持論如此。及讀君自所爲詞，則誠往復幽咽，動搖人心，快而能沈，直而能曲，不屑屑于言詞之末，而名句間出，殆往往度越前人。至其言近而指遠，意決而辭婉，自永叔以後，殆未有工如君者也。

君始爲詞時，亦不自意其至此，而卒至此者，天也，非人之所能爲也。

若夫觀物之微，託興之深，則又君詩詞之特色，求之古代作者，罕有倫比。嗚呼，不勝古人，不足以與古人並，君其知之矣。世有疑余言者乎？則何不取古人之詞，于君詞比類而觀之也？光緒丙午三月山陰樊志厚叙。

如梦令

點滴空階疏雨，迢遞嚴城更鼓。睡淺夢初成，又被東風吹去。無據，無據，斜漢垂垂欲曙。

今譯 淅淅瀝瀝的春雨，點點滴滴，灑向空階，更鼓聲聲，從高城之上遠遠傳來。愁腸百結難以成眠，好不容易略有睡意，卻又被一陣東風吹醒。唉，夢本來就是不可靠的，睡不著就睡不著吧。窗外，銀河已經西斜，天也漸漸亮了。

浣溪沙

路轉峰迴出畫塘，一山楓葉背殘陽，看來渾未似秋光。 隔座聽歌人似玉，六街歸騎月如霜：客中行樂只尋常。

今譯　小路沿著山勢迴環，徜徉在這彎彎的小路上，幾經曲折，一方畫塘驀然呈現眼前。一山紅彤彤的楓葉，背映著夕陽的餘暉，這美麗的景色，哪裏有一點秋天的蕭瑟味道啊！　鄰座有如玉般的美人在歌唱，聽歌罷，人馬踏著霜冷皎潔的月色歸去。唉，作客他鄉，即使是及時行樂，也不過如此罷了。

臨江僊

過眼韶華何處也？蕭蕭又是秋聲。極天衰草暮雲平，斜陽漏處，一塔枕孤城。　獨立荒寒誰語？驀回頭宮闕崢嶸：紅牆隔霧未分明，依依殘照，獨擁最高層。

今譯　美好的時光如白駒過隙匆匆而逝，春往何處去了，很快就又聽到這蕭瑟的秋聲？極目遠眺，凋零的秋草一直延伸到天邊，與平展的晚雲接了起來，雲層中一道斜陽漏了出來，正照在孤城外的寶塔上。獨自徘徊在這荒寒的天地中，此情此景有誰可以訴說？回頭衹能隱約看到那崢嶸的宮闕，可是隔著迷茫的青煙薄霧，紅牆都猶未分明，衹有那夕陽的殘暉，還依依不捨地照在寶塔的最高層上。

浣溪沙

草偃雲低漸合圍，雕弓聲急馬如飛，笑呼從騎載禽歸。　萬事不如身手好，一生須惜少年時，那能白首下書帷！

今譯　草原廣闊，勁風折草，野曠雲低，一場圍獵開始了。弓弦聲急，駿馬如飛，一陣忙碌後，歡笑著，招呼隨從的馬騎撿拾落禽，滿載而歸。世間的萬事萬物，都不如練就一身高強的身手，人生在世，必須惜取少年的時光，切莫虛度，怎麼能鑽進書幃，皓首窮經呢？

浣溪沙

霜落千秋木葉丹，遠山如在有無間，經秋何事亦孱顏？　且向田家拼泥飲，聊從卜肆憩征鞍，只應游戲在塵寰。

今譯　寒霜灑落在濃密的樹林裏，樹葉全紅了，遙望遠山，隱隱約約，如在有無之間。我不禁感嘆：山啊，你經歷了無數個這樣冷峻的秋天，爲什麼依然能這樣高高地聳立？姑且在農夫家裏開懷暢飲，不惜一醉，在占卜的鋪子裏解下征鞍，安心地休憩吧。人生也就是這樣，在塵寰中偶然的游戲罷了，何必太認真呢？

好事近

夜起倚危樓，樓角玉繩低亞，唯有月明霜冷，浸萬家鴛瓦。

人間何苦又悲秋，正是傷春罷，卻向春風亭畔，數梧桐葉下。

今譯 獨自難以成眠，衹好起來憑依在高樓闌干，但見玉繩兩星低垂在樓角，澄明的月色和凄冷的寒霜，浸透了千家萬戶的屋瓦。人總是用情太多，剛剛爲春去而傷心，現在卻又要爲匆匆而過的秋涼而悲愁。唉，不去想它了，還是對著春風亭畔，數一數掉落的片片梧桐樹葉吧。

好事近

愁展翠羅衾，半是餘溫半淚。不辨墜歡新恨，是人間滋味。

幾年相守鬱金堂，草草渾閑事。獨向西風林下，望紅塵一騎。

今譯 愁緒鎖在臉上，攤開翠色的錦被，上面半是身體的餘溫，半是零落的淚痕，分不清哪是往昔的歡情，哪是新生的幽怨，反正總是人間的種種滋

味。幾年來的兩相廝守的日子，平平淡淡地就過去了，當時沒有什麼感覺，而今一個人獨守空房，卻是無限的懷念。一個人去西風林下再等著吧，紅塵中的那一騎什麼時候才能歸來？

采桑子

高城鼓動蘭釭灺，睡也還醒，醉也還醒，忽聽孤鴻三兩聲。

人生只似風前絮，歡也零星，悲也零星，都作連江點點萍。

今譯 高高的城樓上，暮鼓聲聲，燈燭已經殘了。睡下，感覺還是醒著，醉了，卻也感覺還是很清醒，忽然聽到天邊的孤雁三兩聲的悲鳴。人生就好比風中飄飛的柳絮，不管是歡樂還是悲哀，都是破碎不全的。這一切，最後也不過都化作連江水面上的點點浮萍罷了。

西河

垂柳裏，蘭舟當日曾系。千帆過盡，只伊人不隨書至。怪渠道著我儂心，一般思婦游子。

昨宵夢，分明記：幾回飛度煙水，西風吹斷，伴燈花，搖搖欲墜，宵深待到鳳凰山，聲聲啼鴂催起。

錦書宛在懷袖底，人迢迢，紫塞千里。算是不曾相憶！倘有情，早合歸來，休寄一紙無聊相思字！

今譯 堤岸上垂柳依依，千縷萬縷，當日載著那人的船就是從這裏起航的。眼前過盡了千隻帆萬條船，但是那個人卻一直沒有隨著書信歸來。怪不得在信中他能說出我的心思：原來正是同樣的思婦之心游子之情。我還清楚地記著昨夜的夢境，多少次，我飛越這茫茫的煙水去尋他，不料卻被西風吹斷了我的魂夢。醒來時，燈花已經遙遙欲墜，本來準備深夜做夢時夢到故鄉的鳳凰山，可卻又被杜鵑的啼鳴催醒。他寄來的書信我一直珍藏在懷袖中，但是他人卻在相隔千里的塞外。就算他沒有想我吧，如果真的想我的話，他應該早早歸來，光寄這些無聊的相思書信有什麼用？

摸魚儿

問斷腸，江南江北，年時如許春色。碧闌干外無邊柳，無落遲遲紅日。長堤直，又道是連朝寒雨送行客，煙籠數驛。剩今日天涯，衰條折盡，月落曉風急。　金城路，多少人間行役？當年風度曾識，北征司馬今頭白，唯有攀條沾臆。都狼藉，君不見舞衣寸寸填溝洫，細腰誰惜？算祇有多情，昏鴉點點，攢向斷枝立。

今譯 我想知道，在春來江南江北相送的時候，也是這樣令人腸斷的景象嗎？碧綠的欄杆外，是無邊的垂柳，在風中依依起舞，使那遲遲的紅日也隨之舞動而漸漸西沈了。在那筆直的長堤上，又要冒著寒雨相送行客，濃重的煙靄籠罩了目力所及的驛站。如今流落天涯，一如眼前見到的被折盡了枯枝斷條的楊柳，在斜月西沈時的秋風中顫抖。在金城路上，古往今來多少人曾因服役而辛勞跋涉，想當年，也曾經欣賞它壯美的風度，而如今，北征的桓司馬將軍頭髮都白了，祇能靜視著飄動的柳枝，淚流滿面。秋柳的枝葉早已隨風飄零狼藉一片，您看到了嗎，這不正像寸寸破碎的舞衣，填了溝壑嗎？舞女呢，還有誰喜歡他們纖細的腰肢？算來恐怕也祇有那多情的點點昏鴉，聚在殘斷的柳枝上。

蝶恋花

誰道人間秋已盡？衰柳毵毵，尚弄鵝黃影。落日疏林光炯炯，不辭立盡西樓暝。　萬點棲鴉渾未定，潋灩金波，又冪青松頂。何處江南無此景，只愁沒個閑人領。

今譯　誰說人間的秋天已經過盡？你看衰柳淡黃細長的枝條，還在秋風中擺弄著它的影子。斜陽反照著疏林，閃著炯炯的光輝，我真想在這西樓上站著直道天黑，一直欣賞這美麗的景色。林中樹上的點點昏鴉，還沒有安定下來，這時如金波般流泛的月光，又已經籠罩在青松樹頂了。在江南這地方，哪裏沒有這樣的美景呢，衹是恐怕沒有誰會有這份閑心去欣賞領略它罷了。

鷓鴣天

列炬歸來酒未醒，六街人靜馬蹄輕。月中薄霧漫漫白，橋外漁燈點點青。　從醉裏，憶平生，可憐心事太崢嶸。更看此夜西樓夢，摘得星辰滿袖行。

今譯　與朋友宴飲結束，在成行的燈燭中歸來，酒意還沒醒，大街上靜悄悄的，衹有輕輕的馬蹄聲。透過月色，望去是泛著淡淡的白色的一片薄霧，小橋外的水面上，閃著點點青光的漁燈。乘著酒興，回想平生的遭遇，最令人難過的是，少年時心氣太高，以致終老都難以實現，更不用說夜裏在西樓的夢境，摘得滿袖的星辰，傲然而行了。

點絳唇

萬頃蓬壺，夢中昨夜扁舟去。縈回島嶼，中有舟行路。　波上樓臺，波底層層俯。何人住？斷崖如鋸，不見停橈處。

今譯　昨夜夢中，我自己駕了一葉扁舟，去了萬頃碧波中的蓬壺僊境。那裏的島嶼星羅棋布，海水縈繞，中間是曲曲折折的船行之路。煙波上面有浩渺的亭臺樓閣，海水清澈，俯視波底能看到樓閣的倒影，一層又一層。是誰在這裏居住呢？我想停船上岸一探究竟，然而這裏到處是如鋸齒般參差的斷崖，我怎麼也找不到泊船的地方。

點絳唇

高峽流雲，人隨飛鳥穿雲去。數峰著雨，相對青無語。 嶺上金光，嶺下蒼煙冱。人間曙，疏林平楚，歷歷來時路。

今譯 峽谷高峻，煙雲繚繞，人隨著峽中的飛鳥，在雲中穿梭而去。那幾座雨後的青峰，相對而立，寂然無語。嶺上是雨後初霽的金光，嶺下卻是凝集的濃霧。人間已經曙色迷離，但遙望那疏林外的平原，卻可以清清楚楚地看到我來時的道路。

踏莎行

絕頂無雲，昨宵有雨，我來此地聞天語。疏鐘暝直亂峰回，孤僧曉度寒溪去。 是處青山，前生儔侶，招邀盡入閑庭戶。朝朝含笑復含顰，人間相媚爭如許。

今譯 昨天夜裏曾經下了一場透雨，但是此刻山頂之上早已雲影全無，我爬到山頂，仿佛聽到天公之語。黃昏後，山寺裏響起稀稀疏疏的鐘聲，在亂峰之間回蕩，拂曉時，孤獨的僧人衹身涉過寒冷的溪水去了。這裏的青

山，是我前世的好伴侶，我把它請到清閑的院落裏繼續相依相伴。朝來暮去，青山一直對我含笑含顰，人間所謂的情誼哪能與這相比啊！

清平樂

櫻桃花底，相見頹雲髻，的的釭無限意，消得和衣濃睡。 當時草草西窗，都成別後思量，遮莫天涯異日，轉思今夜淒涼。

今譯 在櫻桃花下面見到她時，她含著羞低著頭，籠著一頭黑髮的髮髻也微微有些歪了。回來後，對著閃爍的燈火，突然感到無限的思念，和衣而卧，難以成眠。當時在西窗下匆匆地聚首，如今都成了別後無盡的相思，我不想用天涯他日如何來安慰自己，我衹爲這個長夜相思的淒涼而憂心嘆息。

浣溪沙

月底棲鴉當葉看，推窗跕跕墮枝間，霜高風定獨憑闌。 爲制新詞髭盡斷，偶聽悲劇淚無端，可憐衣帶爲誰寬。

月色之下，把棲息在樹梢的烏鴉看成了葉子，剛一開窗，它們就

跕跕的飛落到樹枝裏面去了。霜夜高寒，風定了，一個人憑欄凝望，思緒萬千。爲了詠吟新詞，真的像古人那樣把髭須都撚斷了，偶爾去看場悲劇的時候，也會無端地潸然淚下，可憐自己爲誰消瘦，以致衣帶漸寬呢？

青玉案

姑蘇臺上烏啼曙，剩霸業，今如許。醉後不堪仍弔古，月中楊柳，水邊樓閣，猶自教歌舞。　野花開遍真娘墓，絕代紅顏委朝露。算是人生贏得處：千秋詩料，一抔黃土，十里寒螿語。

今譯　姑蘇臺上，一隻烏鴉從夜裏一直啼叫到天明，當年吳王夫差的霸業，到如今卻衹有一片如此荒涼的情景。想到此，即便醉意已經很濃，但仍覺得難以釋懷，一種弔古之悲湧上心頭，仿佛那月中的楊柳，水邊的閣樓，依然有人在輕歌曼舞，一如千年以前。真娘的墓前開滿了野花，這位絕代佳人，就這樣如朝露般萎頓在這裏，她的身後，總算是得到了這樣的結果：成爲千百年來文人墨客舞弄的詩料，委身于一抔黃土之中，還有周圍十里的寒蟬的悲鳴。

少年遊

垂楊門外，疏燈影裏，上馬帽檐斜。紫陌霜濃，青松月冷，炬火散林鴉。　歸來驚看西窗上，翠竹影交加。跌宕歌詞，縱橫書卷，不與遣年華。

今譯　在楊柳垂落飄灑的門外，在依稀的疏燈暗影裏，上馬時的抖動把帽檐弄斜了。上馬後一路行一路望，但見郊野的道路秋霜正濃，青松上籠罩著清冷的月色，游人打的炬火驚起了林中棲息的烏鴉，四散飛去。盡興而歸後突然發現，月亮在西窗上投下了翠竹縱橫交錯的影子。那跌宕蓬勃的詩詞，縱橫几案的書卷，都不能與我消遣著美好的年華啊。

滿庭芳

水抱孤城，雲開遠戍，垂柳點點棲鴉。晚潮初落，殘日漾平沙。白鳥悠悠自去，汀洲外，無限蒹葭。西風起，飛花如雪，冉冉去帆斜。　天涯，還憶舊；香塵隨馬，明月窺車。漸秋風鏡裏，暗換年華。縱使長條無恙，重來處，攀折堪嗟。人何許？朱樓一角，寂

寞倚殘霞。

今譯 江水環繞著孤城，浮雲開處，正好可以望見遠處的戍地，近處，垂柳中棲息著點點昏鴉。晚潮初落，殘日的餘暉蕩漾在平坦的沙灘上。白鳥悠悠地飛去，一直到遠處汀州外一望無際的蘆葦叢中。伴著西風，蘆葦的飛絮如雪花般飛舞，遠去的船帆正傾斜著緩緩前行。如今作爲游子流落天涯，往事一幕幕地從眼前滑過，帶著花香的輕塵，被馬揚起緩緩隨行，初生的明月偷偷地窺視著車中的美人。可是這些都是過去了，經歷了幾番秋風秋雨後，再攬鏡自照時，驚覺美好的年華已經不再，就好像柳條依然長如往昔，但是再來攀折的時候，即便物還是舊，但畢竟人已非昨。我要去往何處？衹見那一角紅樓，寂寞地偎依在殘霞的光影裏。

蝶恋花

閱盡天涯離別苦，不道歸來，零落花如許。花底相看無一語，綠窗春與天俱莫。　待把相思燈下訴，一縷新歡，舊恨千千縷。最是人間留不住，朱顔辭鏡花辭樹。

今譯 我早已歷盡了天各一方的離別之痛，但是沒想到歸來時，卻正好趕上百花凋零的情景。我們在花底黯然對視無語，窗外的春景，也和落日後的天一樣同時迎來了遲暮。本來準備在夜色闌珊的燈下，把心中的相思之苦一吐爲快，但是這一點點新的歡愉卻又勾起了無窮的舊恨。人世間最難留住的，恐怕就是那鏡子裏永不再回的青春和離開了樹枝飄零的落花吧。

玉樓春

今年花事垂垂過，明歲花開應更夥！看花終古少年多，衹恐少年非屬我。　勸君莫厭金罍大，醉倒且拚花底臥。君看今日樹頭花，不是去年枝上朵。

今譯 今年的花事已經漸漸過去了，明年花開也許會更繁盛吧。自古以來，賞花游樂總是少年人的事情，衹是恐怕少年時代再也不屬于我了。不要再推辭說酒杯太大了，還是痛飲一醉吧，最後就在花下樹下沈沈地睡過去。你知道嗎？今天在枝頭的花兒，已經不是去年枝頭上的那些了。

阮郎歸

女貞花白草迷離，江南梅雨時，陰陰簾幕萬家垂，穿簾雙燕飛。

朱閣外，碧窗西，行人一舸歸。清溪轉處柳陰低，當窗人畫眉。

今譯　女貞子樹上開滿了小小的白花，遠遠望去，煙草迷離。眼下正是江南的梅雨季節，每家每戶都垂下了隔雨用的垂簾。這時忽然看到一對燕子，穿簾飛去。在紅樓之外，碧窗以西，遠行的人乘著小船回來了。而那清溪轉彎的地方，柳蔭低垂，有佳人正在當窗畫眉梳妝。

阮郎歸

美人消息隔重關，川途彎復彎。沈沈空翠壓征鞍，馬前山復山。

濃潑黛，緩拖鬟，當年看復看。只餘眉樣在人間，相逢艱復艱。

今譯　想知道美人的消息，但卻隔著重重關山，路途曲折難行。馬的前面是一座又一座的山，漫山的翠綠好像要沈沈地壓到征鞍上。沿途的山色，濃濃的翠綠好像潑翻了的黛墨，綿緩的山勢，又像拖拽著的雲鬟。當年這樣的景象我看了一遍又一遍，可如今衹剩了這青青的眉樣留在人間，要相逢就難上加難了。

浣溪沙

天末同雲黯四垂，失行孤雁逆風飛，江湖寥落爾安歸？陌上金丸看落羽，閨中素手試調醯，今宵歡宴勝平時。

今譯　灰色的雲層陰陰地伸向遙遠的天邊，離群的孤雁正在逆風飛翔，在這個寥落的江湖上，你要飛向何方呢？突然，一顆彈丸射過來，孤雁羽毛紛飛，頹然下墜。閨中的女子正在用她的纖纖素手往鍋裏加著調味品，今天夜裏宴飲的歡樂肯定要勝過平時了。

浣溪沙

山寺微茫背夕曛，鳥飛不到半山昏，上方孤磬定行雲。試上高峰窺皓月，偶開天眼覷紅塵，可憐身是眼中人。

今譯　山的高處，能隱隱約約地看到山寺，背向著夕陽的餘暉。鳥還沒飛到半山的時候，天色已經暗下來了。這時，從寺中傳來孤寂的磬聲，行雲彷彿也爲之凝然不動了。嘗試登上高峰，一探那皎潔的月亮，偶然睜開天眼，遙遠望見熙攘的紅塵。可憐的是，連我自己也是天眼所見中的塵世之人！

青玉案

江南秋色垂垂暮，算幽事，渾無數。日日滄浪亭畔路：西風林下，夕陽水際，獨自尋詩去。　可憐愁與閑俱赴，待把塵勞截愁住。燈影幢幢天欲曙。閑中心事，忙中情味，並入西樓雨。

今譯　江南的秋色已經漸漸地接近垂暮，但是細算來的話，這時覽勝探幽的事情依然不少。每天走到滄浪亭邊的路上，在西風吹拂的樹林中，在夕陽反照的流水外，獨自去尋找創作的靈感。最令人爲難的是，憂愁伴隨著閑適的生活同時到來，我想用忙碌的俗務把憂愁堵截住。夜來的時候，空對著幢幢的燈影，天也快亮了。無論是閑時的心事，還是忙時的情味，都伴隨著西樓的雨聲一起湧上心頭。

浣溪沙

昨夜新看北固山，今朝又上廣陵船，金焦在眼苦難攀。　猛雨自隨汀雁落，濕雲常與暮鴉寒，人天相對作愁顏。

今譯　昨夜剛游覽了壯麗的北固山，今天一早又登上了去揚州的客船，金山和焦山就在眼前了，卻無法攀登，這是很讓人遺憾的。一陣暴雨隨著沙汀上的雁陣降落，濃濃的雲層下有回巢的烏鴉在盤旋，讓人更覺荒寒淒涼。人和天，在這一刻無言相對，都充滿了濃重的愁緒。

鵲橋僊

沈沈戍鼓，蕭蕭廄馬，起視霜華滿地。猛然記得別伊時，正今夕郵亭天氣。　北征車轍，南征歸夢，知是調停無計。人間事事不堪憑，但除卻無憑兩字。

今譯　遠處傳來沈沈的戍邊的鼓聲，馬廄中的馬發出蕭蕭的悲鳴，起來時，發現地上鋪滿了一層潔白的霜。突然想起當初跟她分別的時候，也是和今天夜宿郵亭一樣的天氣。車轍在向北伸展，歸夢卻在向南方飛翔，我深知這樣的事情是沒有辦法能解決的。人間的事事其實都是很虛幻很難憑的，也許衹有「無憑」兩個字，才能稱得上是真的。

鵲橋僊

繡衾初展，銀釭旋剔，不盡燈前歡語。人間歲歲似今宵，便勝卻貂蟬無數。　霎時送遠，經年怨別，鏡裏朱顏難駐。封侯覓得也尋常，何況是封侯無據？

今譯　鋪開錦繡的被褥，挑亮了桌上的銀燈，說不盡燈前歡樂的話語，讓人不由感嘆：如果人生年年都能像今夜這樣的話，那麼什麼高官厚祿、加官晉爵也就都不是什麼值得艷羨的東西了。可是，相見總是太匆匆，沒多久便要分別遠去，接著便又是一年又一年的哀傷離別，青春的容顏不可能年年常駐鏡中。這樣看來，就算萬裏封侯也沒有什麼了不起啊。更何況現在連封侯一事的影子都還沒有呢。

減字木蘭花

皋蘭被徑，月底闌干閑獨憑。修竹娟娟，風裏時聞響佩環。　驀然深省，起踏中庭千個影。依舊人間，一夢鈞天只惘然。

今譯　水澤中的蘭草已經把路都遮住了，在月明之夜，獨自悠閑地憑

繡衾初展，銀釭旋剔，不盡燈前歡語。

欄四顧，但見修長的綠竹婷婷秀麗，微風不時送來像環佩碰撞一樣的響聲。突然觸動了自己内心深刻的醒悟，起來踏著庭院中的數千竹影徘徊。原來眼前所見的依然是原來的人世，那美好的鈞天之夢醒來時，衹有帶著惘然的惆悵。

鷓鴣天

閣道風飄五丈旗，層樓突兀與雲齊，空餘明月連錢列，不照紅葩倒井披。　頻摸索，且攀躋，千門萬户是耶非？人間總是堪疑處，唯有茲疑不可疑。

今譯　棧道上的風吹動五丈的大旗，層樓高高聳立，上與雲齊，衹見高樓中上下一片珠光寶氣，一排排的銀燈燦爛輝煌，但卻照不到藻井上倒披下來的紅蓮花了。我不斷地摸索著前進，努力地向上攀登，不過眼前這千門萬户到底是真的還是虛幻，我卻沒有一點底。人世間總有許多值得懷疑的事情，大概衹有這個難以解釋的疑團是實在的，不能質疑的吧。

浣溪沙

夜永衾寒夢不成，當軒減盡半天星，帶霜宫闕日初昇。　客裏歡娛和睡減，年來哀樂與詞增，更緣何物遣孤燈？

今譯　長夜漫漫，獨擁寒衾，難以成眠，看著小軒前半天的星星也逐漸暗淡消失，在帶著霜的宫闕上升起了朝陽。身爲客中人的歡愉和睡眠的時間一樣在逐漸減少，年來的哀樂之情也隨著詞作數量的增加而增加。如今還有什麼能排遣一下獨自面對孤燈一盞時的愁緒呢？

浣溪沙

畫舫離筵樂未停，瀟瀟暮雨闔閭城，那堪還向曲中聽。　只恨當時形影密，不關今日别離輕，夢回酒醒憶平生。

今譯　在畫舫中設下了離别的筵席，曲子一首首地演奏著。這時，正在暮雨瀟瀟的蘇州城外，怎能再聽那一曲離别之聲呢？衹恨我們當時形影不離，友情太深，不關今日的離别容易，當在夜裏酒醒夢回的時候，就會回憶起平生之事了。

浣溪沙

才過苕溪又霅溪，短松疏竹媚朝暉，去年此際遠人歸。　燒後更無千里草，霧中不隔萬家鷄，風光渾異去年時。

今譯　剛過了苕溪，又來到了霅溪，眼前低矮的松樹，稀疏的竹林，在朝暉中更讓人覺得美麗。去年的這個時候，遠方的游子回到他的故鄉來了。經過了野火之後，一望無際的青草沒有了，但家家戶戶的鷄聲，卻透過了濃霧遠遠地傳了過來。今日的風光已經和去年完全不同了。

賀新郎

月落飛烏鵲，更聲聲，暗催殘歲，城頭寒柝。曾記年時游冶處，偏反一欄紅藥，和士女盈盈歡謔。眼底春光何處也？只極天野燒明山郭。側身望，天地窄。　遣愁何計頻商略？恨今宵，書成空擁，愁城難落。陋室風多青燈灺，中有千秋魂魄，似訴盡人間紛濁。七尺微軀百年裏，那能消，今古閑哀樂！與蝴蝶，蘧然覺。

今譯　夜已闌珊，月也西斜，烏鵲驚飛，更有城頭上的聲聲寒柝，透過寒氣傳了過來，仿佛在暗暗催促這一年趕快過去。曾記得年少時游玩嬉戲的地方，花園裏一欄艷艷的芍藥在風前起舞，我和我的男女玩伴們一起自由地戲謔玩鬧，可如今，以往盡收眼底的春光哪裏去了？衹有那延伸到天邊的野火，把整個山郭都燒了個通亮，轉身眺望，覺得天地都變窄了。有什麼辦法能排遣這些愁緒？我思考了很長的時間，衹恨我今天晚上簇擁著書城，卻始終無法攻下愁城。在我的陋室裏，陰風陣陣，青燈也將殘，明滅閃爍之間，仿佛有若干歷經千年的精魂，向我訴說著人世間的污濁。以人的七尺之軀，在短促的不足百年的時間裏，怎麼能受得了古今千年如此多的哀與樂的刺激啊！人生在世，不過也像莊子的一場蝴蝶夢吧，很快就驚覺了。

人月圓

天公應自嫌寥落，隨意著幽花。月中霜裏，數枝臨水，水底橫斜。　蕭然四顧，疏林遠渚，寂寞天涯。一聲鶴唳，殷勤喚起，大地清華。

今譯　老天也許是覺得過于寂寞的緣故吧，隨意在大地上種上了這幽潔的梅花。在明月中，在清霜裏，有幾枝靠近水邊，在水底映出橫斜有致的疏影。回望蕭索的四方，衹見稀疏的林子和遠方的江渚，天涯一片寂寥的情調。一聲鶴鳴響起，殷勤地喚起大地上一派清秀美麗的景致。

卜算子

羅襪悄無塵，金屋渾難貯，月底溪邊一晌看。便恐淩波去。
獨自惜幽芳，不敢矜遲莫，卻笑孤山萬樹梅，狼藉花如許。

今譯　她像一位水中的僊子，穿著潔淨無塵的羅襪悄然走來，世間的金屋怎麼能把她留住呢？在月下，在溪邊，充滿愛戀地看了她一會兒，真怕她突然就淩波而去了。獨自在這裏愛惜這幽潔的花兒，不敢去矜憐她年華遲暮，卻笑那孤山中的萬樹寒梅，已經殘花狼藉了。

八声甘州

直青山、缺處倚東南，萬堞浸明湖。看片帆指處，參差宮闕，風展旌旗。向晚櫓聲漸數，蕭瑟雜菰蒲。一騎嚴城去，燈火千衢。
不道繁華如許，又萬家爆竹，隔院笙竽。嘆沈沈人海，不與慰羈孤。剩終朝襟裾相對，縱委蛇，人已厭狂疏。呼燈且覓朱家去，痛飲屠蘇。

今譯　連綿不斷的青山向東南伸展，在這裏出現了開闊的平野，春城萬堞的影子，正倒浸在明麗的湖中。看那片船帆一葉駛向的地方，正見參差的宮闕，春風吹展著旌旗。黃昏已近，歸來的航船櫓聲越來越密，其間夾雜著茭白和蒲草叢中傳來的蕭瑟的風聲。我騎著馬進入城中，正是華燈初上之時，千百條大街上燈火通明。真沒想到這裏是如此的繁華，萬家燃放爆竹的聲音、隔院裏悠揚的笙竽的樂聲也傳了過來。不過這麼多的人，卻沒有一個人能慰藉我作客他鄉的愁緒。我孤身一個人，終日裏形影相弔，即使勉強去應付那些事物，別人感覺到自己的應付後也會心生討厭之情。唉，不考慮這些不快之事了，還是叫人打上燈籠，去找那些市井的豪爽之士來，一起痛飲新春的屠蘇美酒，一醉方休吧。

浣溪沙

曾識盧家玳瑁梁，覓巢新燕屢迴翔，不堪重問郁金堂。今雨相看非舊雨，故鄉罕樂況他鄉！人間何地著疏狂。

今譯 那覓巢的新燕，好像對盧家的玳瑁梁似曾相識，在這裏飛來飛去。它們哪裏知道，一切都已經變了，怎麼還能再找尋到舊日的郁金堂呢。和燕子差不多，我茫然對著新交的朋友，找不到一點舊友的感覺，即使在故鄉都沒有多少快樂可言了，更何況現在流落他鄉呢？茫茫人世間，哪裏能安置下我這麼疏狂的人呢？

踏莎行

綽約衣裳，淒迷香麝，華燈素麪光交射。天公倍放月嬋娟，人間解與春游冶。 烏鵲無聲，魚龍不夜，九衢忙殺閑車馬。歸來落月掛西窗，鄰鷄四起蘭釭灺。

今譯 游人們穿著華美的衣服，到處彌漫著似有還無的芳香，華燈的清輝與素面的光彩互相映射。老天仿佛使月光加倍地清麗皎潔，地上的人們也知道要趁這芳春的美景愉快地玩樂。黃昏過後，烏鴉已經悄然無聲，燈火通明的街上魚龍變幻，那些閑人的車馬川流不息。歸來時月亮正掛在西窗之下，四鄰家的鷄已經開始啼叫，燈也將滅了。

蝶恋花

急景流年真一箭，殘雪聲中，省識東風面。風裏垂楊千萬綫，昨宵染就鵝黃淺。 又是廉纖春雨暗，倚遍危樓，高處人難見。已恨平蕪隨雁遠，暝煙更界平蕪斷。

今譯 急促的時光，流逝的年華，真像箭一樣快，在殘雪融化的聲音中，已經能夠窺見春天的面目了。在春風中，那飄拂著的千萬縷垂楊，昨天夜裏染上了淺淺的鵝黃色。轉眼又是細雨迷蒙的春雨天氣，獨自倚遍了樓上的闌干。可是人太遠，縱使在高處也難以望見，不由得對隨著飛雁伸向遠方的平原起了恨意，而黃昏時的荒煙更加過分，直接把平原界斷了。

蝶恋花

窄地重簾圍畫省，簾外紅牆，高與銀河並。開盡隔牆桃與杏，人間望眼何由騁？　舉首忽驚明月冷，月裏依稀，認得山河影。問取嫦娥渾未肯，相攜素手層城頂。

今譯　那低垂至地的重簾圍繞著尚書省的廳堂，簾外的四面都是紅牆，巍峨高聳，幾乎可與銀河相並。隔著紅牆，一春的桃花和杏花都開盡了，可是，一般的人哪能去放眼觀賞呢？舉首翹望，忽然覺得明月太冷了，在月影裏還依稀認得山河之影。試問嫦娥，能否攜著她的纖纖素手登上層城之頂呢，她定然未肯答應吧。

蝶恋花

昨夜夢中多少恨，細馬香車，兩兩行相近。對面似憐人瘦損，衆中不惜搴帷問。　陌上輕雷聽漸隱，夢裏難從，覺後哪堪訊？蠟淚窗前堆一寸，人間衹有相思分。

今譯　從昨天夜裏的夢裏，生發出多少幽恨來，我騎著馬兒，她乘著香車，相對漸行漸近。她迎面而來，好像是憐憫我的消瘦憔悴的模樣，因而不惜在人群中掀起車幃殷勤相問。聽著輕雷似的車聲在路上漸行漸遠，連在

夢中都難以追上，醒後又能如何呢？醒後看窗前搖曳的風燭，已經堆起了一寸多高的蠟淚，可憐在人世中也衹能相思了。

蝶恋花

獨向滄浪亭外路，六曲闌干，曲曲垂楊樹，展盡鵝黃千萬縷，月中並作濛濛霧。　一片流雲無覓處，雲裏疏星，不共雲流去。閉置小窗真自誤，人間夜色還如許。

今譯　獨自走在滄浪亭外的小路上，在那六曲闌干邊，曲曲都是垂楊樹。新發的千萬縷淡黃的楊枝，在月色中化成了蒙蒙的霧靄。一片薄薄的浮雲飄過，再也尋不到了，可是，雲裏稀疏的星星卻並不隨雲流去。這樣的美景之夜，還關上門窗憋在房裏的話，可真是誤了自己啊，你看這夜色是多麼的美麗！

浣溪沙

舟逐清溪彎復彎，垂楊開處見青山，毿毿綠髮覆煙鬟。　夾岸鶯花遲日裏，歸船簫鼓夕陽間，一生難得是春閑。

獨向滄浪亭外路，六曲闌幹，曲曲垂楊樹。

今譯　小船沿著彎彎曲曲的清溪曲折前行。兩岸是濃密的垂楊，枝條垂下，仿佛絲絲綠髮披拂著女子的髻鬟，偶爾有風吹過，拂開枝條的時候，從中可以窺見遠遠的青山。夾岸鶯歌燕舞，鮮花怡人，在這遲遲的春日裏，在斜陽西下的水面上，歸來的船上吹簫擊鼓，一生最難得的恐怕就是這春天的閑暇了吧！

臨江僊

聞說金微郎戍處，昨宵夢向金微。不知今又過遼西，千屯沙上暗，萬騎月中嘶。　郎似梅花儂似葉，朅來手撫空枝。可憐開謝不同時，漫言花落早，衹是葉生遲。

今譯　聽說金微是郎君戍守的地方，昨天夜裏我就在夢裏去了那裏，可不知道他如今又經過遼西了。沙漠中分佈著千百個幽暗的營帳，萬馬在月色中嘶鳴，真不知道該如何才能尋到我的郎君。郎君好比梅花，我好比綠葉，可到來時卻衹有手撫著空枝。可憐我們開與謝都不同時啊，所以沒有必要怨恨花落得太早，衹是怪葉生得太遲了。

南歌子

又是烏西匿，初看雁北翔，好與報檀郎：春來宵漸短，莫思量！

今譯 又到了太陽西下時分，初見雁行向北飛去，代我告訴我的心上人啊：春來夜晚漸短，還是不要思量了。

荷叶杯

戲效花間體六首

手把金尊酒滿，相勸。情極不能羞，乍調箏處又回眸。留摩留！留摩留！

矮紙數行草草，書到。總道苦相思，朱顏今日未應非。歸摩歸！歸摩歸！

無賴燈花又結，照別。休作一生拚，明朝此際客舟寒。歡摩歡！歡摩歡！

誰道閑愁如海，零碎。雨過一池漚，時時飛絮上簾鈎。愁摩愁！愁摩愁！

昨夜繡衾孤擁，幽夢。一霎鈿車塵，道旁依約見天人。真摩真！真摩真！

隱隱輕雷何處，將曙。隔牖見疏星，一庭芳樹亂啼鶯。醒摩醒！醒摩醒！

今譯 她手持金杯，盛滿了美酒相勸，感情到極點就顧不得害羞了，正在調古箏時又回眸相盼：留下嗎？留下吧！留下嗎？留下吧！

終于接到了那人的來信，在短短的紙上草草地寫了幾行字，說的都是相思之苦。如今那人的容顏大概還沒什麼改變吧。歸去嗎？歸吧！歸去嗎？歸吧！

挑了又挑，但燈焰上還是結了燈花，卻在照人離別。你還是不要拼出這一生吧，明天這個時候我已經在凄寒的客船上了。今夜盡歡嗎？盡歡吧！今夜盡歡嗎？盡歡吧！

誰說閑愁如海一般寬廣，它衹是零零碎碎地不斷襲來，雨過後，滿池塘都泛起泡沫，紛飛的柳絮不時撲上簾鈎。感到憂愁嗎？憂愁啊！感到憂愁嗎？憂愁啊！

昨天夜裏獨自簇擁著錦被，做了一回幽夢，夢到她的香車輕駛過來，卷起塵土，我在路邊隱約地看到了這位天僊般的佳麗。是真的嗎？是真的。是真的嗎？是真的。

那如輕雷般隱隱的車聲如今哪裏去了？天色將明，隔著窗戶看著外面稀疏的星星，群鶯已經在庭中的樹上啼鳴了。醒來了嗎？醒來了。醒來了嗎？醒來了。

蝶恋花

窈窕燕姬年十五，慣曳長裾，不作纖纖步。眾裏嫣然通一顧，人間顏色如塵土。　一樹亭亭花乍吐，除卻天然，欲贈渾無語。當面吳娘誇善舞，可憐總被腰肢誤。

今譯　那位窈窕的燕姬年方十五，她總是拖拽著長裙，沒有那種做作的纖纖細步。她在衆人中嫣然一笑，顧盼相通，人世間其他的美色真的就如塵土般了。她像一株亭亭玉立的樹，剛吐露出芬芳的花朵，除了「天然」這兩個字外，再也沒有其他能修飾她的語言了。想想那當面自誇善舞的吳娘，就未免給人感覺作態，失卻了天然的風韻了。

玉樓春

西園花落深堪掃。過眼韶華真草草。開時寂寂尚無人，今日偏嗔搖落早。　昨朝卻走西山道，花事山中渾未了。數峰和雨對斜陽，十里杜鵑紅似燒。

今譯　西園中，落花鋪滿了一地，幾乎能掃成堆，讓人不由得感嘆這過眼的春光實在是太匆匆了。花開的時候，園子裏還寂寂無人，如今春已去花已敗，人們卻又嗔怪花開得太早。昨天早晨我來到西山道上，山中的花依然在開放，幾座山峰在細雨中遙對著斜陽，十里路中的杜鵑花紅得像火一樣。

蝶恋花

辛苦錢塘江上水，日日西流，日日東趨海。終古越山澒洞裏，可能消得英雄氣？　說與江潮應不至，潮落潮生，幾換人間世！

千載荒臺麋鹿死，靈胥抱憤終何是。

今譯 錢塘江上的水是何等辛苦啊，日日向西回流，日日又流向東海。千百年來，越山就在這彌漫無際的水流中，它怎麼能消盡英雄之氣呢？我想告訴錢塘江潮，不用再這麼辛苦地來來回回吧，潮起潮落，潮落潮生，而世間早已經換了多少朝代。時過千年，姑蘇臺早已經荒廢了，原來游走于臺畔的麋鹿也早就死去了，伍子胥的靈魂抱著亘古的幽憤又還有什麼意思呢？

蝶恋花

誰道江南春事了？廢苑朱藤，開盡無人到。高柳數行臨古道，一藤紅遍千枝杪。 冉冉赤雲將綠繞，回首林間，無限斜陽好。若是春歸歸合早，餘春只攪人懷抱。

今譯 誰說江南的花事已經過去？看那邊荒廢的苑子中，開滿了朱藤卻沒有人來觀賞。幾行高高的柳樹正臨著古道，僅僅一株藤花就使得千百枝頭都紅遍了。那紅色的雲霞冉冉地旋繞著綠樹，回望林間，斜陽正無限美好，可是如果春天真要歸去還是早些吧，這殘春衹會讓人欲罷不能而徒增煩惱。

水龍吟

用章质夫苏子瞻唱和韻

開時不與人看，如何一霎濛濛墜！日長無緒，迴廊小立，迷離情思，細雨池塘，斜陽院落，重門深閉。正參差欲住，輕衫掠處，又特地、因風起。 花事闌珊到汝，更休尋滿枝瓊綴。算來只合，人間哀樂，者般零碎。一樣飄零，寧爲塵土，勿隨流水。怕盈盈、一片春江，都貯得、離人淚。

今譯 花開的時候沒有讓人看到，爲什麼霎時間卻又濛濛飄墜？春日漸長，思緒全無，小立在迴廊前看它的時候，突然升起了迷離的情思。在細雨迷濛的池塘邊，在斜暉蕩漾的庭院裏，正是重門深閉的時候，它卻高飛低舞。當它馬上要落地的時候，行人的輕衫掠過時帶起的微風又把它吹起來了。春天的花事，輪到楊花的時候已經是殘春將盡，所以也就沒有必要指望會尋到枝頭上綴滿鮮花的情景了。細細算來，這楊花正像人間的樂與哀一樣的零碎。既然同樣是飄零的命運，那麼我寧可化作塵土，也決不逐水漂流，因爲我害怕那盈盈的春江中，流淌的是離人的淚水。

點絳唇

暗裏追涼，扁舟徑掠垂楊過。濕螢光大，一一風前墮。　坐覺西南，紫電排雲破。嚴城鎖，高歌無和，萬舫沈沈臥。

今譯　在幽暗的夏夜裏追涼，駕著一葉扁舟，直掠垂楊而過。在潮濕的夜氣中，螢火蟲的光更加明亮了，它們一個個在風前飛落。漸漸感覺在西南方的天空中，電光撕裂了厚厚的雲層，照射下來。入夜後，城門關了，我放聲高歌也沒有人唱和，所見衹有無數的小船，沈沈地躺在河面上。

蝶恋花

莫鬥嬋娟弓樣月！只坐蛾眉，消得千謠諑。臂上宮砂那不滅？古來積毀能銷骨。　手把齊紈相決絕，懶祝秋風，再使人間熱。鏡裏朱顏猶未歇，不辭自媚朝和夕。

今譯　不要再把黛眉描得彎彎的，去與那弓樣的月牙兒鬥美了，光是爲了這蛾眉，就得受盡千般的造謠毀謗。胳膊上鮮紅的宮砂哪能不滅呢？自古以來，都知道積毀銷骨的道理。我手持齊紈扇誓言相決，懶得再去祝禱秋風再使人間變熱。試看鏡中，我的青春容顏尚在，我寧願自己一個人獨自度過朝夕，自己欣賞自己。

人間詞乙稿序

去歲夏，王君靜安集其所爲詞，得六十餘闋，名曰「人間詞甲稿」，余既敘而行之矣。今冬復江所作詞爲乙稿，丐余爲之敘，余其敢辭，乃稱曰：

文學之事，其內足以攄己而外足以感人者，意與境二者而已。上焉者，意與境渾，其次或以境勝，或以意勝，苟缺其一，不足以言文學。原夫文學之所以有意境者，以其能觀也，出于觀我者，意餘于境；而出于觀物者，境多于意。然非物無以見我，而觀我之時，又自有我在。故二者常互相錯綜，能有所偏重，而不能有所偏廢也。文學之工不工，亦視其意境之有無與其深淺而已。

自夫人不能觀古之人之所觀，而徒學古人之所作，于是始有僞文學。學者便之，相尙以辭，相習以模擬，遂不復知意境爲何物，豈不悲哉。苟持此以觀古人之詞，則其得失可得而言焉：溫韋之精艷，所以不如正中者，意境有深淺也。珠玉所以遜六一，小山所以愧淮海者，意境異也。美成晚出，始以辭采擅長，然終不失爲北宋人之詞者，有意境也。南宋詞人之有意境者，唯一稼軒，然亦若不欲以意境勝。白石之詞，氣體雅健耳，至于意境，則去北宋人遠甚。及夢窗玉田出，並不求諸氣體，而惟文字之是務，于是詞之道熄矣。自元迄明，益以不振。至于國朝，而納蘭侍衛以天賦之才，崛起于方興之族，其所爲詞，悲涼頑艷，獨有得于意境之深，可謂豪傑之士，奮乎百世之下者矣。同時朱陳，既非勁敵；後世項蔣，尤難鼎足。至乾嘉以降，審乎體格韻律之間者愈微，而意境之溢于字句之表者愈淺，豈非拘泥文字而不求諸意境之失歟？抑觀我觀物之事，自有天在，故難期諸流俗歟。

余與靜安均夙持此論。靜安之爲詞，真能以意境勝。夫古今人詞之以意勝者莫若歐陽公，以境勝者莫若秦少游，至意境兩渾，則唯太白、後主、正中數人足以當之。靜安之詞，大抵意深于歐，而境次于秦。至其合作，如甲稿《浣溪沙》之「天末同雲」，《蝶戀花》之「昨夜夢中」，乙稿《蝶戀花》之「百尺朱樓」等闋，皆意境兩忘，物我一體，高蹈乎八荒之表，而抗心乎千秋之間，駸駸乎兩漢之疆域廣于三代，貞觀之政治隆于武德矣。方之侍衛，豈徒伯仲？此固君所得于天者獨深，抑豈非致力于意境之效也。

至君詞之體裁，亦與五代北宋爲近。然君詞所以爲五代北宋之詞者，以其有意境在。若以其體裁故，而至遽指爲五代北宋，此又君之不任受，固當與夢窗玉田之徒專事摹擬者同類而笑之也。光緒三十三年十月山陰樊志厚叙。

浣溪沙

七月西風動地吹，黃埃和葉滿城飛，征人一日換緇衣。
金馬豈真堪避世？海鷗應是未忘機，故人今有問歸期。

今譯 初秋七月的北國，西風早已動地勁吹，黃塵混雜著枯葉，滿城亂飛，遠道而來的人，一天就要換過被塵土污染的衣服。京城中的金馬門難道真的是避世之所嗎？應該是我還抱有令飛翔的海歐警惕的世俗機巧之心吧，老朋友們已經在詢問我的歸期了。

浣溪沙

六郡良家最少年，戎裝駿馬照山川，閑抛金彈落飛鳶。何處高樓無可醉？誰家紅袖不相憐？人間那信有華顛。

今譯 那些出身六郡良家的少年們，身著戎裝，騎著駿馬，光彩照耀山川。他們閑來無事，抛擲金彈，射落飛鳶。何處的高樓不可以供他們歡醉？哪家的少女不對他們起愛慕之心，而他們又怎麼會知道，人世間還有年老白髮之事呢。

浣溪沙

城郭秋生一夜涼，獨騎瘦馬傍宮牆，參差霜闕帶朝陽。旋解凍痕生綠霧，倒涵高樹作金光，人間夜色尚蒼蒼。

今譯 秋天來到了京城，一夜涼生，清晨時獨自騎著瘦馬沿著宮牆緩行，那鋪滿了清霜的參差殿闕，反射著清晨的朝陽。沒過多久，草木上的霜痕消失，升起一陣綠色的青霧。朝陽倒射在高樹中，散出萬道金光，而回視城中的千萬戶人家，卻發現那裏依然是夜色蒼蒼。

點絳唇

厚地高天，側身頗覺平生左。小齋如舸，自許迴旋可。聊復浮生，得此須臾我。乾坤大，霜林獨坐，紅葉紛紛墮。

今譯 置身于高天厚地之間時，我會漸漸地覺得自己平生似乎事事都不順。不過好在我還有個小船般的書齋，在其中可以信馬由韁，任我髮揮。姑且在這浮幻的人生中，暫時獲得真正的自我。天地如此之大，我獨自坐在經霜後的樹林中，看那些紅葉紛然墜落。

掃花遊

疏林掛日，正霧淡煙收，蒼然平楚。繞林細路，聽悟悟落葉，玉驄踏去。背日丹楓，到眼秋光如許。正延佇，便一片飛來，說與遲暮。

歡事難再溯，是載酒攜柑，舊曾遊處。清歌未住，又黃鸝趁拍，

飛花入俎。今日重來，除是斜暉如故。隱高樹。有寒鴉相呼儔侶。

今譯 秋天的傍晚，稀疏的樹枝上掛著一輪斜陽，遠望蒼茫遼闊的原野時，已是霧淡煙收。小路曲曲折折繞著樹林，靜聽那愔愔的落葉聲，我騎著馬兒踏葉歸去。背對著陽光的楓葉，就是這樣讓人更覺艷紅，滿眼的秋光，就是這樣讓人欣賞贊嘆不已。我正留連忘返之際，一片枯葉迎面飛來，好像要和我訴說年華的遲暮。少年時的歡樂事已經再也追不回來了，這是我當年帶著美酒和雙柑遊歷的地方。那時候，佳人的清唱尚未停歇，黃鶯兒已經迫不及待地應和著節拍開始啼鳴，亂花也湊熱鬧般地往筵席裏鑽。而今我故地重遊，衹有夕陽的斜暉還像過去那樣，其他早已尋不到了。這時，高樹上傳來了寒鴉的陣陣悲啼，它們正在呼朋引伴呢。

蝶恋花

滿地霜華濃似雪，人語西風，瘦馬嘶殘月。一曲陽關渾未徹，車聲漸共歌聲咽。 換盡天涯芳草色，陌上深深，依舊年時轍。自是浮生無可說，人間第一耽離別。

今譯 滿地寒霜凝結，濃得像敷上了一層白雪，人們站立在西風中話別，瘦馬也向著殘月不斷地發出悲鳴。送別時，一曲《陽關》還沒奏完，離人就已經出發了，咿呀的車聲仿佛應和著歌聲，在痛苦地嗚咽。天涯芳草的青色此時已經換作枯黃，可是陌上深深的車轍卻依然是我來時的模樣。這飄忽不定的人生還有什麼好說的呢，在人間最令人傷心的事情莫過于離別了。

蝶恋花

陡覺宵來情緒惡，新月生時，黯黯傷離索。此夜清光渾似昨，不辭自下深深幕。 何物尊前哀與樂？已墜前歡，無據他年約。幾度燭花開又落，人間須信思量錯。

今譯 夜裏突然感覺情緒有些惡劣，每當新月初生，更爲自己離群索居而黯然神傷。今夜清亮的月光還如昨夜，可是我卻放下了這深深的簾幕而寧願把自己隔絕起來。當日在離別筵席間的哀樂之情，現在想來又算得了什麼呢？昨天的歡樂都已經逝去，明年的佳約現在看來還遙遙無期，衹好獨坐燈前，看著燭花多少回接了又落。要知道，在人世間的苦苦相思，終歸會釀成錯誤。

祝英台近

月初殘，門小掩，看上大堤去。徒御喧闐，行子黯無語。爲誰收拾離顔，一腔紅淚，待留向孤衾偷注。　馬蹄駐，但覺怨慕悲涼，條風過平楚。樹上啼鵑，又訴歲華暮。思量祇有人間，年年征路，縱有恨都無啼處。

今譯　明月初殘，閑門半掩，看著他走到大堤上去。隨行的幾個僕夫吵吵嚷嚷的，而他卻黯然無語。在這別離的時候，又能爲誰裝扮好容顔？祇好忍著滿腔的悲淚，待到今宵別後，偷偷地在被窩裏流吧。馬兒也駐足不前，祇感到心中充滿著悲涼的怨恨，忽然一陣風捲過原野的草木。樹上的杜鵑鳥聲聲悲啼，好像在訴說年華遲暮。想起來，大概祇有人生在世間才年年踏上征程，即使有恨也無處宣泄。

浣溪沙

乍向西鄰鬥草過，藥欄紅日尚婆娑，一春只遣睡消磨。　髮爲沈酣從委枕，臉緣微笑暫生渦。這回好夢莫驚他。

今譯　她剛去過西鄰，跟女孩子們愉快地玩鬥百草的游戲，當紅日已經移向芍藥欄邊還依依不願離去，如今她睏酣嬌眼，大概要在睡夢中消磨著春日吧。她睡得太熟了，長髮鋪散在枕畔，她的臉上掛著微微的笑，最後形成了一個笑靨，她肯定在做一個甜甜的夢呢，不要驚醒了她。

虞美人

犀比六博消長晝，五白驚呼驟。不須辛苦問虧成，一霎尊前了了見浮生。　笙歌散後人微倦，歸路風吹面。西窗落月蕩花枝，又是人間酒醒夢回時。

今譯　人們競相玩六博的游戲來消磨漫長的時光，擲子時的呼喊之聲此起彼伏，不絕于耳。不用辛辛苦苦地追尋人生的成敗了，在筵席前的一霎那間便能清清楚楚地看到浮生的真相。當筵席散去，人也都有些困倦了，在回家的路上，陣陣涼風拂面。西窗外，落日的餘暉斜照著顫動的花枝，這已經是人間酒醒夢回的時候了。

減字木蘭花

亂山四倚，人馬崎嶇行井底。路逐峰旋，斜日杏花明一山。
銷沈就裏，終古興亡離別意。依舊年年，迤邐騾綱度上關。

今譯 亂山從四面擠壓過來，人馬在崎嶇的山谷中如行駛在井底。小路繞著山峰左右回旋，斜陽照射著爛漫的杏花，一山都亮起來了。多少年來，說不盡的興亡離別之意，都消沈在此中了。可是，人們卻依舊年復一年地趕著騾隊，一路曲曲折折地渡嶺過關而去。

蝶恋花

連嶺去天知幾尺，嶺上秦關，關上元時闕。誰信京華塵裏客，獨來絕塞看明月。　如此高寒真欲絕，眼底千山，一半溶溶白。小立西風吹素幘，人間幾度生華髮。

今譯 巍峨不斷的山嶺離天還有幾尺？嶺上是秦時的關口，關上是元代的城闕。我這個沾滿了京華塵土的游子，竟然一個人來到遙遠的塞上，欣賞著塞外的月色了。這樣高寒的境界真是世所罕見，眼底的崇山峻嶺，多半都融進了皎潔的月光中。小立片刻，西風吹拂著我頭上潔白的帽巾，人生中又添了多少白髮啊！

蝶恋花

簾幕深深香霧重，四照朱顏，銀燭光浮動。一霎新歡千萬種，人間今夜渾如夢。　小語燈前和目送，密意芳心，不放羅幃空。看取博山閑裊鳳，濛濛一氣雙煙共。

今譯 在深深的簾幕中籠罩著重重香霧，四面的銀燭照著她美麗的容顏，光影迷離浮動。在這一瞬間，從心底生發出千萬種新的歡意，人間今夜，就恍如在夢中似的。在燈前竊竊私語，目送柔情，心盈蜜意，真的不肯讓這羅帳中的良宵虛度。看吧，那博山爐中的鳳凰，吞吐著兩股濃濃的香煙，最後合成一氣裊裊地升起。

蝶恋花

手剔銀燈驚炷短，擁髻無言，脈脈生清怨。此恨今宵爭得淺？思量舊日深恩遍。　花影一簾和月轉，直恁淒涼，此境何曾慣。故

擁秀衾遮素面，賺他醉裏頻頻喚。

今譯 親手剔亮了銀燈，突然驚覺燈炷已經快燃盡了，捧持著髮髻，脈脈無言，暗生幽怨。在今天夜裏，怎麼能稍減我的幽怨，忍不住一遍遍地回想起他舊日的深恩。一簾花影隨著清冷的月華悄然轉動，這樣凄涼的情境叫我怎能習慣呢？衹好簇擁著繡衾遮住我的臉額，就等他在醉裏頻頻呼喚我的名字吧。

蝶恋花

黯淡燈花開又落，此夜雲蹤，知向誰邊著？頻弄玉釵思舊約，知君未忍渾拋卻。　妾意苦專君苦博，君似朝陽，妾似傾陽藿。但與百花相鬥作，君恩妾命原非薄。

今譯 黯淡的殘燈中，燈花結了又落，在這個夜裏，你如雲般無定的行踪，究竟會停歇在哪裏呢？我不住地撫弄著頭上的玉釵，想起舊時咱們在一起時的誓約，我知道，你是不忍心把它全部都背棄的。我的缺點是用情太專一了，而你卻是用情太廣泛，你就像光輝燦爛的朝陽，而我則像專門向陽的葵藿。可我如今卻衹有和百花一起消磨時光，不過我深信，不管是你的恩情還是我的命運，都不會那麼單薄的。

虞美人

碧苔深鎖長門路，總爲蛾眉誤，自來積毀能銷骨，何況真紅一點臂砂嬌。　妾身但使分明在，肯把朱顔悔，從今不復夢承恩，且自簪花坐賞鏡中人。

今譯 濃綠的苔蘚封鎖住了通往長門宮的道路，衹因爲有著美麗的容顔而受到人們的妒忌，積毀銷骨是從來就有的事實，更何况是我潔白的肌膚上那一點鮮紅的守宮砂呢。我衹要使自己清清白白地活著，怎麼會悔恨生就這美好的容顔？從此以後，承恩之事連夢也不再去做了，自己簪花打扮一下，對著鏡子好好地欣賞自己的容顔不也很好嗎？

蝶恋花

百尺朱樓臨大道，樓外輕雷，不間昏和曉。獨倚闌干人窈窕，閑中數盡行人小。　一霎車塵生樹杪，陌上樓頭，都向塵中老。薄

晚西風吹雨到，明朝又是傷流潦。

今譯　那百尺高的紅樓，正臨著寬闊的大道，不管是黃昏還是清晨，樓外總是傳來輕雷似的車聲。那位窈窕的佳人，孤獨地憑依著樓畔的闌干，細數著路上一個個的行人來打發著無聊的時光。霎時間車馬駛過，卷起的飛塵撲向樹梢，路上的行人和樓上的女子，也就在這飛揚的塵土中不知不覺地老去了。傍晚時分，西風挾裹著冷雨吹過，明天應當更爲路上積滿的雨水而憂傷吧。

浣溪沙

掩卷平生有百端，飽更憂患轉冥頑。偶聽鵜鴂怨春殘。　坐覺無何消白日，更緣隨例弄丹鉛：閑愁無分況清歡！

今譯　合上了書本，會想起平生，不禁百感交集，我已經飽經憂患，現在反而變得冥頑不靈了，偶然聽到杜鵑的啼叫，才想起要爲春天的逝去而感懷。我漸漸覺得再也沒有什麼辦法能消磨漫長的日子，衹好隨例做些點校文字的工作，連閑愁都沒有福分消受的人，還有什麼資格談清歡呢？

浣溪沙

似水清紗不隔香，金波初轉小迴廊，離離叢菊已深黃。　盡撤華燈招素月，更緣人面發花光，人間何處有嚴霜？

今譯　如水一般透明，又像水一般蕩漾，輕盈的紗帳隔不斷裊裊的幽香，溶溶的月色，剛轉過迴廊那畔，一叢叢深黃色的菊花，正開得爛漫。把花燈全部撤走，讓月色更顯其皎潔，正因爲有了佳人的靚妝，才映得秋花更加燦爛，現在看來，在這美好的人世間，哪裏會有肅殺的嚴霜呢？

蝶恋花

冉冉蘅皋春又暮，千里生還，一訣成終古。自是精魂先魄去，凄涼病榻無多語。　往事悠悠容細數，見說來生，衹恐來生誤。縱使茲盟終不負，那時能記今生否？

今譯　長滿芳草的水澤邊，隨著時光流逝，芳春已暮，我從千里之外活著趕回來的，但是，與她這一訣別之後，這一生就再也不能相見了。大概是她的靈魂比她的精魄更早地離開了形體的緣故吧，我們在病榻中相對凄涼，卻沒有多少言語。遙遠的往事還可以一一細說，但說到來生的話，則衹怕來生已誤。就算我們的誓言來世能夠實現，但真到了來生的話我們還能記起今生嗎？

菩薩蛮

高樓直挽銀河住，當時曾笑牽牛處。今夕渡河津，牽牛應笑人。　桐梢垂露腳，梢上驚烏掠。燈焰不成青，綠窗紗半明。

今譯　層樓高聳，仿佛真的要把銀河挽住，那是我們曾經在七夕竊笑牛郎的地方。可是，今天夜裏卻見牛郎渡過了河津，與織女相會去了，他應該會反過來笑我的孤寂了吧。從梧桐樹梢上灑下滴滴的涼露，樹梢上掠過了受驚的烏鴉。夜已將盡，燈焰也暗淡無光，綠窗紗上正抹上朦朧的曙色。

應天長

紫騮卻照春波綠，波上蕩舟人似玉。似相知，羞相逐，一晌低頭猶送目。　鬢雲欹，眉黛蹙，應恨這番怱促。惱一時心曲，手中雙槳速。

今譯 紫騮馬徘徊在岸邊，翠綠的春波照見少年的身影，波上泛著一葉扁舟，蕩槳的姑娘如玉般美麗。他好像似曾相識的樣子，我又羞于尾隨他而去，祇好低下頭來，偷偷地目送他和馬遠去。雲鬟略微傾斜了，蹙鎖著含情的黛眉，祇能怨恨這次相遇有些太匆匆了。一時芳心被攪得不成樣子，手中的雙槳不知不覺劃得也更快了。

菩薩蠻

紅樓遙隔簾纖雨。沈沈暝色籠高樹，樹影到儂窗，君家燈火光。
風枝和影弄，似妾西窗夢。夢醒即天涯，打窗聞落花。

今譯 遙望你住的紅樓，卻阻隔著纖纖的細雨，黃昏後夜色沈沈，籠罩著庭前的高樹。你屋裏透出的燈火的光輝，把樹影灑在我的窗前。清風擺弄著樹枝的影子，搖動不定，仿佛我在西窗下迷離的夢境。祇是夢醒時，人已遠隔天涯，祇有一陣陣的落花飄落窗上的聲音不時地傳來。

菩薩蠻

玉盤寸斷葱芽嫩，鸞刀細割羊肩進。不敢厭腥臊，緣君親手調。

紅爐頳素麵，醉把貂裘緩。歸路有餘狂，天街宵踏霜。

今譯 白玉盤中盛著柔嫩的葱芽，操著鸞刀，細細割開鮮美的羊肩進奉。我怎麼能說這羊肉有腥臊味道而厭棄它呢？這是你親手調制的啊。紅泥火爐的熱氣把我的臉烘得紅通通的，趁著醉意解開了身上的貂裘。在歸路上仍然有很多未盡的餘狂，我真想把它們撒在霜夜的大街上。

鷓鴣天

樓外秋千索尚懸，霜高素月慢流天；傾殘玉盌難成醉，滴盡銅壺不解眠。
人寂寂，夜厭厭，北窗情味似枯禪。不緣此夜金閨夢，那信人間尚少年！

今譯 樓外還掛著春日裏秋千的繩索，可是如今已經又到了寒霜高爽的時節，皎潔的月亮正轉過中天，喝光了杯中的美酒卻依然難以成醉，聽盡了銅壺滴漏，卻依然無法成眠。人是如此的寂寥，而夜又如此的寧靜，獨坐北窗下的感覺真像老僧參禪。如果不是夜裏曾經夢見金閨之事，怎麼會相信自己還年華未老呢？

清平樂

垂楊深院，院落雙飛燕，翠幕銀燈春不淺：記得那時初見。眼波靨暈微流，尊前卻按涼州，拚取一生腸斷，消他幾度回眸。

今譯　綠楊裊娜的深院中，飛來了雙雙歸燕，讓人不由得想起當時兩個人初次見面的情景，那時重重的簾幕遮蔽著室內的銀燈，此中有多少濃鬱的春意！她的臉頰泛起了紅暈，暗地裏送來一輪眼波，可是在燈前卻奏起了一曲幽怨的《涼州》。我早就已經心死，甘願一生痛苦憔悴了，可是現在看來，我又能經得住她幾回的回眸流盼呢？

浣溪沙

花影閑窗壓幾重，連環新解玉玲瓏，日長無事等怱怱。靜聽斑騅深巷里，坐看飛鳥鏡屏中，乍梳雲髻那時鬆？

今譯　幽靜的窗畔落下了幾重花影？她那雙妙手剛解開了玲瓏的玉連環，日長無事，何必匆匆度日呢？留神靜聽深巷裏是否傳來了馬嘶聲，坐下來細看鏡子中掠過的飛鳥的影子，這時才發現，新梳的雲髻實在有些太蓬鬆了。

浣溪沙

愛棹扁舟傍岸行，紅裝素萏鬥輕盈，臉邊舷外晚霞明。爲惜花香停短棹，戲窺鬢影撥流萍，玉釵斜立小蜻蜓。

今譯　喜歡撥一葉小船傍岸而行，這位紅裝素裹的女子和潔白的荷花各自亭亭玉立，鬥麗爭艷。在她的臉邊，在船舷外，是一片明亮的晚霞。爲了欣賞花香而暫時停槳不前，輕輕地撥開浮萍窺看水中的鬢影，一隻小蜻蜓正斜斜地停歇在她的玉釵上。

浣溪沙

漫作年時別淚看，西窗蠟炬尚汍瀾，不堪重夢十年間。斗柄又垂天直北，客愁坐逼歲將闌，更無人解憶長安。

今譯　靜夜無人時的悲啼，請不要當成是年時的別淚，你看西窗的蠟炬，在風中猶自縱橫淚下。十年間的感情，怎麼受得了在這一夜之間重夢一遍呢？北斗七星的斗柄又垂在天空的正北面了，作客他鄉的愁緒，在這一年將盡時感受也愈加強烈，現在已經沒有誰還會懷念身在京城的我了。

蝶恋花

憶掛孤帆東海畔，咫尺神山，海上年年見。幾度天風吹棹轉，望中樓閣陰晴變。 金闕荒涼瑤草短，到得蓬萊，又值蓬萊淺。只恐飛塵滄海滿，人間精衛知何限。

今譯 想當年，我在東海邊掛起高高的風帆，那蓬萊僊山祗在不遠的海中，年年都可以望見。可是，多少回猛烈的天風，把我的船頭吹轉，原來視野中清晰可見的僊臺樓閣，也開始陰晴交替，不再清晰。神僊的宮闕一片荒涼冷落，瑤草也已經凋零了，想不到來到蓬萊，卻正趕上這水淺的季節。我祗怕一旦發生滄桑巨變，東海塵飛，誰知道在人世間有多少矢志不移的精衛鳥啊！

謁金門

孤檠側，訴盡十年蹤跡。殘夜銀釭無氣力，綠窗寒惻惻。 落葉瑤階狼藉，高樹露華凝碧。露點聲疏人語密。舊歡無處覓。

今譯 在孤燈畔，自訴十多年來的飄零踪跡。秋夜將殘，燈火也暗淡無光了，緑窗底吹來陣陣牽人愁緒的清寒。白石臺階畔落葉縱橫，高樹的露珠在緑葉上晶瑩閃耀。露滴的清響越來越稀疏，而屋外行人的語聲越來越密。從前的歡樂，看來是再也找不回來了。

喜迁鶯

秋雨霽，晚煙拖，宮闕與雲摩。片雲流月入明河，鳷鵲散金波。 宜春院，披香殿，霧裏梧桐一片。華燈簇處動笙歌，復道屬車過。

今譯 秋雨新晴，晚煙成帶，宮闕高聳直入雲霄。片雲月明，流入銀河，鳷鵲觀中散發著如金波般的月色。宜春院裏，披香殿上，在煙霧中灑落一葉梧桐。華燈密集的地方，笙歌動地，高樓間架空的通道中，皇帝的車輦又轟隆隆地經過了。

蝶恋花

翠幕清寒無著處，好夢初回，枕上惺鬆語。殘夜小樓渾欲曙，四

山積雪明如許。　莫遣良辰閑過去，起淪龍團，對雪烹肥羜。此景人間殊不負，檐前凍雀還知否？

今譯　垂下翠色的帷幕，遮擋黎明的清寒，好夢初醒，姑且在床上惺忪自語。夜色將殘，小樓外已經露出曙光了，把周圍山嶺的積雪，映照得如此明亮。不要讓美好的日子就這麼白白地度過了，起床來泡一杯佳茗，對著雪烹煮鮮美的羔羊。人們真的沒有辜負這美景啊，可是屋檐前面的凍雀能理解其中的樂趣嗎？

蘇幕遮

倦憑闌，低擁髻，丰頰修眉，猶是年時意。昨夜西窗殘夢裏，一霎幽歡，不似人間世。　恨來遲，防醒易，夢裏驚疑，何況醒時際？涼月滿窗人不寐，香印成灰，總作迴腸字。

今譯　她睏倦地倚著闌干，低著頭捧持著髮髻，丰滿的臉頰，修長的雙眉，這一切，都好似年時的情意。在西窗下，昨夜夢中短暫的幽歡，全不似在人間的那樣。怕她來得太遲，更怕自己醒得太容易，在夢裏都暗自驚疑

擔心，更何況是在清醒時分？涼月照進窗間，愁人不能成寐，印香快要燒成灰燼了，那裊裊的香煙，幻出迴腸九曲的字樣。

浣溪沙

本事新詞定有無？這般綺語太胡盧，燈前腸斷爲誰書？　隱几窺君新製作，背燈數妾舊歡娛：區區情事總難符。

今譯　新詞中所寫的是不是實事呢？這樣的綺語實在是太可笑了，但燈前的悲悲切切，是爲誰而寫的呢？在案几旁偷看你寫的新詞，背著燈暗暗地細數我們舊日的歡情。這一樁樁的事跟你寫的怎麼一點都不相符啊？

虞美人

弄梅騎竹嬉游日，門戶初相識。未能羞澀但嬌癡，卻立風前散髮襯凝脂。　近來瞥見都無語，但覺雙眉聚。不知何日始工愁，記取那回花下一低頭。

今譯　想起兒時青梅竹馬一起嬉戲的日子，那時當門對戶，相識還未久。她還不懂得羞澀，衹是一味地嬌癡，故意在風前站立，讓飄飛的黑髮映襯她

潔白的肌膚。現在突然看到她的時候，忽然發現彼此竟然都無語了，衹覺得雙眉絞得越來越緊。不知道她是什麼時候開始懂得春愁，我還記得那次我們在花前相遇，她含情低下頭來。

齊天樂

用姜石帚原韻

天涯已自悲秋極，何須更聞蟲語。乍響瑤階，旋穿繡闥，更入畫屏深處。　喁喁似訴。有幾許哀絲，佐伊機杼。一夜東堂，暗抽離恨萬千緒。　空庭相和秋雨。又南城罷柝，西院停杵。試問王孫，蒼茫歲晚，那有閑愁無數？宵深謾與！怕夢穩春酣，萬家兒女。不識孤吟，勞人床下苦。

今譯　流落天涯，已經爲秋節而感到無限的悲愁了，更哪堪聽到這鳴蟲悲秋的哀鳴呢？蟋蟀的鳴聲驟然間在石階前響起，接著穿過錦繡的房門，更進入畫屏的深處。它像在細語訴說著什麼。有多少哀切的弦聲，伴隨著閨中人的機杼聲，一夜間，像在東堂中暗暗抽引著千絲萬縷的離恨。空庭

中悲切的蟲聲，和著淅瀝的秋雨。南城上不再響起更柝聲，西院中砧杵的聲音也停歇了。試問遠方的游子，在這情境蒼涼的歲暮，誰有無盡的閑愁去聽它呢？夜深了，隨便地吟幾句詩，衹怕那些沈酣在春夢中的萬家兒女，還不懂得勞人在床下的孤詠之苦吧。

點絳唇

波逐流雲，棹歌裊裊凌波去，數聲和櫓，遠入蒹葭浦。　落日中流，幾點閑鷗鷺，低飛處，菰蒲無數，瑟瑟風前語。

今譯　清波像在追逐著流逝的雲影，船歌聲中，一葉扁舟緩緩地凌波而去。幾聲槳蕩水的聲音傳來，船駛進了遠處的蘆葦蕩中。落日時分，遙望江中有幾隻悠閑的鷗鷺，它們低飛歇息之處，有無數的菰蒲，在風中發出蕭瑟的響聲，如相共語。

蝶恋花

春到臨春花正嫵，遲日闌干，蜂蝶飛無數。誰遣一春拋卻去，馬蹄日日章臺路。　幾度尋春春不遇，不見春來，那識春歸處？

波逐流雲，棹歌裊裊凌波去。

斜日晚風楊柳渚，馬頭何處無飛絮。

今譯 春天來到臨春閣中，盛開的花兒美麗嬌艷，春日遲遲，在闌干外有無數的風蝶飛舞。是誰拋棄了芳春而去？你看章臺路上，馬蹄日夜奔忙。有多少次去找尋芳春卻總是遇不見，不見春從何來又怎麼知道春歸何處？夕陽西下的時候，晚風吹拂著江渚的楊柳，行人的馬頭所向，到處都是蒙蒙的飛絮。

蝶恋花

裊裊鞭絲沖落絮，歸去臨春，試問春何許？小閣重簾天易暮，隔簾陣陣飛紅雨。 刻意傷春誰與訴？悶擁羅衾，動作經旬度。已恨年華留不住，爭知恨裏年華去。

今譯 揮起輕柔的馬鞭，衝落團團的飛絮，獨自來到臨春閣上。美好的春光如今又何在呢？小閣中垂著重重的簾幕，天時仿佛很快就到黃昏了，隔著重簾，院子裏陣陣落花飛舞。我爲春天的逝去而悲傷，可是卻沒有人能夠傾訴，衹好悶悶地簇擁著羅衾，一天又一天無聊地度過。我已經惱恨留不住大好年華，可是怎麼知道在惱恨中年華更悄然逝去？

蝶恋花

窗外綠陰添幾許？剩有朱櫻，尚繫殘紅住。老盡鶯雛無一語，飛來銜得櫻桃去。 坐看畫梁雙燕乳，燕語呢喃，似惜人遲莫。自是思量渠不與，人間總被思量誤。

今譯 看窗外的綠樹，又添了多少濃蔭？衹剩下紅艷艷的櫻桃，似乎要把殘春留住。當日的雛鶯已經長成，它悄悄地飛來，不聲不響地把櫻桃叼走了。獨自坐著，靜看畫梁上雙燕在喂養雛鳥，燕語呢喃，彷彿在惋惜我已經遲暮的年華。不過我自己正在想念著他，燕子肯定是不懂的，人世間總被相思所誤。

點絳唇

屏卻相思，近來知道都無益。不成拋擲，夢裏終相覓。 醒後樓臺，與夢俱明滅。西窗白，紛紛涼月，一院丁香雪。

今譯 我決心摒棄相思了，因爲近來更清楚地知道相思是無益的。可是相

書系傳家

思是無法拋灑的，在睡夢裏還是要尋找它。殘夢乍醒，望到遠處依約的樓臺，它跟我迷離的夢境那樣若明若滅。溶溶的明月給西窗外灑了一片皎潔的白，正照在滿院如雪的丁香花上。

清平樂

斜行淡墨，袖得伊書跡。滿紙相思容易說，只愛年年離別。 羅衾獨擁黃昏，春來幾點啼痕。厚薄不關妾命，淺深只問君恩。

今譯 紙上一行行傾斜的文字，淡淡的墨跡，我把他的親筆信鄭重地放在懷袖裏。他的相思之情充滿了整封書信，隨便說說自然是容易的，但他實際上卻年年別我而去。我獨自簇擁著錦被，度過寂寞的黃昏，一個春天在這裏留下了多少淚痕。是厚還是薄，固然衹看我的命運，至于是深還是淺，就不必細問你的恩情了。

人間詞後編

菩薩蠻

西風水上搖征夢，舟輕不礙孤帆重。江闊樹冥冥，荒鷄叫霧醒。

舟穿妝閣底，樓上佳人起。驀入欲通辭，數聲柔櫓枝。

今譯 蕭肅的西風吹拂著水面，輕輕地搖晃著若離若幻的酣夢，孤樹的一擎孤帆絲毫沒有阻礙小舟一路順風的輕盈。一泓江水寬闊而漫漫，黎明中，兩岸的樹影隱約可見，遠處的荒野中傳來的鷄叫聲似乎正一點點將江面上的晨霧驅散，無論是清寐的旅客，還是酣睡的居民都在這清脆的啼鳴生中逐漸醒來。小舟順流而下，從姑娘們的梳妝閣下穿過，可以看見她們早起時那種清秀而慵懶的神情。因爲驀然闖入，想要傳語達話卻又不知如何開口，索性便用幾聲輕柔的櫓枝聲一表心意。

蝶恋花

落落盤根真得地，澗畔雙松，相背呈奇態。勢欲拚飛終復墜，蒼龍下飲東溪水。 溪上平岡千疊翠，萬樹亭亭，爭做拿雲勢。總爲自家生意遂，人間愛道爲渠媚。

今譯 如同上天的刻意安排，那兩株松樹的盤根錯落，與四周的景致相得益彰，它們相背生于深澗兩旁，姿態奇絶鋪張。看上去，它們就仿佛是兩條正拼盡全力努力高飛的蒼龍，因爲想要歇腳，便降至東溪喝上幾口清泉。沿著山溪的平原和山巒重重疊疊地被青翠的顏色所覆蓋，千萬棵大樹挺拔蒼勁，都爭相作出直衝雲端的氣勢。自然之美在于無論何時何地都以自己的生意盎然爲意趣。由此看來，人間的大愛便恰恰在于袪除諂媚。

醉落魄

柳煙淡薄，月中閑殺秋千索。踏青挑菜都過卻，陡憶今朝，又失湔裙約。 落紅一陣飄簾幕，隔簾錯怨東風惡。披衣小立闌幹角，搖蕩花枝，啞啞南飛鵲。

今譯 柳樹枝葉開始復蘇，遠看去已然有了淡薄的煙霧感，而一個月以來，院裏的秋千卻一直形同虛設。想來清明前後的踏青和挑菜都已成過往，猛然間卻不經意發現，還失了一同去河邊洗衣裙的約定。眼看著落花陣陣飄落，便隔著窗簾沒理由地埋怨東風太過凶惡。本想衹是披上外衣到闌干角上稍稍站一會，不料卻因心煩意亂，便隨手搖動起花枝，幾次三番驚走了樹上駐足的鳥兒，衹聽得它們一邊吖吖地叫，一邊向南面飛去，一會便不見了踪影。

虞美人

杜鵑千里啼春晚，故國春心斷。海門空闊月皚皚，依舊素車白馬夜潮來。　山川城郭都非故，恩怨須臾誤。人間孤憤最難平，消得幾回潮落又潮生。

今譯　杜鵑鳥在哀啼春天即將過去，聲聲刻骨，仿佛能傳到千里之外，故國舊都的一顆春心似乎都已被其感染的肝腸寸斷。皎潔的月光映襯著空曠無際的海邊，壯闊的潮信依舊好像趕著素車白馬一般浩浩蕩蕩地向岸邊湧來。放眼望去，山河城郭都已非過去的景象，那些結下的恩恩怨怨也仿佛須臾間就教人看不明白。人世間孤憤最爲難平，有時會隨潮起而生，有隨潮落而去。若真的想使它們都煙消雲散，又需歷經多少次的潮起潮落啊。

鷓鴣天

絳蠟紅梅競作花，客中驚又度年華。離離長柄垂天斗，隱隱輕雷隔巷車。　斟綠醑，和尖叉，新詞飛寄舍人家。可將平日絲綸手，係取今宵赴壑蛇。

今譯　看著蠟梅盛開出一朵朵鮮艷的紅花，便又有客人開始驚懼年華虛度。于遠而言，天上的北斗就像一把長柄的勺子掛于遙遠的蒼穹；于近來說，耳中隱隱約約的聽見隔著一條巷子的雷聲，其實那不過是有小車經過。斟上一壺上好的綠醑，與三五好友應和詩詞，賦得好詞便飛寄家中。時間有如溜進河裏的蛇，一轉眼就不見了踪跡，而吟詩寫詞便就可以用平日裏寫慣了諫書之手，精巧地拴住今晚悄然溜走的時光。

百字令

楚靈均後，數柴桑、第一傷心人物。招屈亭前千古水，流向潯陽百折。夷叔西陵，山陽下國：此恨那堪說。寂寥千載，有人同此伊鬱。　堪嘆招隱圖成，赤明龍漢，小劫須臾閲。試與披圖尋甲子，尚記義熙年月。歸鳥心期，孤雲身世，容易成華髮。喬松無恙，素心還問霜傑。

今譯　自從屈原投汨羅江以後，就要數隱居柴桑的陶潛算是古今傷心第一人了。站在屈原亭前對著千古長流的江水爲屈原招魂，江水曲折九轉地流向潯陽。遙想首陽山上伯夷叔齊的西陵，還有山南面的他們當初被滅亡的國家，這種遺恨哪能說得完。昔日的高潔之士寂寥千載，現如今也有人懷有與他們同樣的憂憤鬱結。感嘆現如今世人徵招隱士以求功成名就，上古的天尊開劫度人，曾訂立年號：從「赤明」到「龍漢」之間，須臾間便看盡了那些小小的劫難。試著學舜帝展閱圖籍在甲子年巡閱神州的氣魄，不過不知道是否能記起當初陶潛在東晉義熙年間從做官到辭官歸隱的歲月。歸鳥向往自由，而一生如孤雲般飄零，卻容易早生華髮。高聳的松柏至今無恙，一顆純素之心依然還在向往霜雪的高潔。

霜花腴

海濱倦客，是赤明延康，舊日衣冠。坡老黎村，冬郎閩嶠，中年陶寫應難。醉鄉盡寬，更紫萸黃菊尊前。剩滄江夢繞觚棱，斗邊槎外恨高寒。　回首鳳城花事，便玉河煙柳，總帶棲蟬。寫艷霜邊，疏芳籬下，消磨十樣蠻箋。載將畫船，蕩素波涼月娟娟。倩酈泉與駐秋容，重來扶醉看。

今譯　身在海邊，是爲倦客，歷經劫難之後，因爲懷念過去的時光，所以還披戴著舊時衣冠。蘇軾流放海南，韓偓隱居福建，他們都是在人過中年以後，面對危難怡然自得、消解愁悶。借酒消愁，不一會兒便心入醉鄉，在酒樽前擺好紫萸和黃菊。腦海裏衹剩下酒觚的邊棱，在杯酒之外油然生出了高處不勝寒的愁怨。憶昔在京城裏賞花的事情來，護城河兩邊的煙柳中總會傳來蟬鳴。閑來在窗邊霜下寫艷詩詞賦，看著窗外的籬牆疏鬆地種著的幾朵小花，不一會便用盡了十餘張詩箋。有時乘坐船舫，在皎潔的月光裏領略素波蕩漾起的絲絲涼風。駐足酈泉邊，感受秋意中的美好景致，借著醉意真希望能在有朝一日故地重游，再行欣賞。

清平樂

蕙蘭同畹，著意風光轉，劫後芳華仍婉晚，得似鳳城初見。
舊人惟有何戡，玉宸宮調曾諳，斷腸杜陵詩句，落花時節江南。

蕙和蘭同在圃中，雖歷經風雲變化，但是未有絲毫影響，仍舊芳華

婉轉，恰似當初在京城裏初次相見那樣。想當初，遭逢亂世幸存的舊人歌者中，還深諳宮廷雅樂的，就唯留何戡一人。正如曾在落花的初秋，杜甫于江南偶遇李龜年，一同遙憶盛世，斷腸之痛便可想而知了。

浣溪沙

已落芙蓉並葉凋，半枯蕭艾過牆高，日斜孤館易魂銷。　坐覺清秋歸蕩蕩，眼看白日去昭昭，人間爭度漸長宵！

今譯　已然謝落的芙蓉與荷葉一並凋落，而半枯的艾蒿和蓬草卻仍然高過土牆。當斜陽西下，孤居客館之中，便越發有黯然銷魂的蕭瑟。一個人獨坐在那裏，突然覺得清秋蕩然而歸，白日愈加短暫，眼見夕陽餘暉逐漸落去，面對漸增的長夜，不禁心生出人生苦短當奮爭而度的感慨。

蝶恋花

月到東南秋正半，雙闕中間，浩蕩流銀漢。誰起水精簾下看？風前隱隱聞簫管。　涼露濕衣風拂面，坐愛清光，分照恩和怨。苑柳宮槐渾一片，長門西去昭陽殿。

今譯　每當月亮移至東南方向，恰好是秋意正半的時候，在城樓闕門之間的廣闊天空中，可以看到浩浩蕩蕩的銀河在天際奔湧。是誰掀起來水晶簾向塵世張看？秋風裏，似乎隱隱約約地可以聽到幽幽咽咽的簫管聲。夜晚的涼露水沾濕了衣襟，微風輕輕吹拂著面龐，一個人坐在月下的時候，最喜歡欣賞清淨月光的素雅，月光默默凝視著人間的恩恩怨怨。京城裏宮苑中的柳樹和槐樹渾然連成一片，就好比當初的長安城，槐柳從長門宮向西一直可以延續到昭陽殿。

菩薩蛮

迴廊小立秋將半，婆娑樹影當階亂。高樹是東家，月華籠露華。　碧闌干十二，都作迴腸字。獨有倚闌人，斷腸君不聞。

今譯　夜中難寐，于是信步去迴廊小站，卻不禁感慨秋色將半，院子的臺階上，斑駁的樹影婆娑而散亂地搖曳著——那是清冷的月光投映東鄰家裏高樹的枝條。迴廊兩旁十二道碧玉的闌干，曲曲折折，仿佛迴腸九轉的模樣；而月色下那個孤獨的倚闌人，他的傷情斷腸又有誰能知曉。

書香傳家系列叢書簡介

經

《詩經》

「關關雎鳩，在河之洲，窈窕淑女，君子好逑」描繪了人世間最真摯的愛情；「碩鼠碩鼠，無食我黍」表達了對不勞而獲的剝削者最深刻的厭惡；「知我者謂我心憂，不知我者謂我何求」抒發了對國家興亡最深切的憂慮。這些我們耳熟能詳的詩句，都出自《詩經》。《詩經》位居儒家「五經」之列，其文學價值是無需多言的。作爲中國史上第一部詩歌總集，它的內容極爲宏大豐富，刻畫了淳樸的風俗，讚揚了英勇的戰士，歌頌了神聖的祖先，記述了真實的歷史。這裏有懇切的批評，又有委婉的諷喻；有樸實的話語，又有華美的辭章；有直率的表達，又有微妙的思緒。孔子說：「不學《詩》，無以言」，這些璀璨的詩句依然是中國人今天抒發情感時無法超越的形式，它們朗朗上口、雋永豐沛。在幾千年後的今天，讓我們依舊能與華夏先民呼吸相聞，感受一種跨越千年的浪漫。「腹有《詩》《書》氣自華」，衹有讀了《詩經》，才知道什麼是文明而化。

《周易》

《周易》可以說是中國古老經典中的經典，它的作者據說是周文王姬昌，其在伏羲八卦基礎上推演而成，後來又經過孔子的修訂，直到現在，已有三千多年的歷史。很多人都認爲《周易》是一部用來占卜算命的書，這確實僅是它的功能之一，在生產力落後的前科學時代，它相當於一個簡單的搜索引擎，凡有疑難之事，都可以通過《周易》的指引，找到解決的辦法。但是，到了科學昌明的今天，《周易》的義理依然不朽，衹是其占卜算命功能已經大大地被弱化。它真正吸引人們的是它對歷史、民俗、文學、哲學、政治、中醫藥學等各個領域的兼容與覆蓋，可以說，《周易》通過陰陽、性象的變化來闡述生命的學問、宇宙的真理、智慧的源泉、社會的規律，用卦爻符號和爻辭，構成了一個神秘的文化殿堂，描述了中華古人對於宇宙奧秘和生命密碼的獨特認識，這也是我們今天讀《周易》的意義所在，它能夠讓我們透過紛繁複雜的表面，直接看透背後的本質。

《論語》

假設孔子讓班長子路建立一個班級群，把曾子、顏淵、子夏、子貢等人都拉進去，大家不但可以在群裏直接討論問題，還可以在彼此的朋友圈互相評論。於是有人選取了聽課中最有用、有趣、有意義的內容，整理成一本書，就叫《論語》。孔子感嘆「沒人瞭解我」，卻告訴學生「別怕沒人瞭解你，只怕自己沒本事」。他的一生是充滿失意和詩意的，他的思想主張不被當世爲政者所接受，但他「一以貫之」「不怨天，不尤人」「下學而上達」，以文化傳承爲使命，開私學之先河，創立了儒家學派。孔子自稱「述而不作」，只講課不創作，他編的六種教科書，主要材料也來自古代文獻，被稱爲「六經」。所以，記錄孔子言行的《論語》，反倒保存了原汁原味的孔子學說。《論語》中的孔子，不祇是莊嚴的至聖先師，更是一個有喜怒哀樂情感的教書先生。他會誇勤奮、聰明的學生，會罵懶惰、頑固的弟子，高興了會唱歌，傷心了會哭泣。閱讀《論語》，可以從中獲得思想的啟迪、人格的提升、情感的激勵，以及文學的享受，它是每一位中國人的必讀之書。

《孟子》

說起儒家思想，必定繞不開「孔孟之道」。這裏的「孟」，就是被尊爲「亞聖」的孟子。與一般「溫良恭儉讓」的儒生形象不同，孟子留給人們的印象更多是剛毅、自信和執著，這些特質在他和弟子所著的《孟子》中都得到了展現。《孟子》在南宋後被作爲「四書」之一。讀起來很好玩，因爲里面大部分都是小故事、小對話，而書中孟子的形象也非常鮮明、立體，就像是生活在我們身邊的一位倔強、驕傲而善辯的小老頭。很多時候，他會玩兒一些「套路」，讓談話對象掉入自己事先挖好的「坑」裏，最後逼得對方祇能「顧左右而言他」，他還會通過裝病來表達自己的不滿，就像個跟人賭氣的孩子一樣。當然，我們讀《孟子》的意義絕對不止於此，它之所以過了兩千多年仍被奉爲經典，是因爲孟子對「修身、齊家、治國、平天下」進行了透徹的闡述，讓我們在讀過之後能夠擁有強大的內心，能夠有所爲有所不爲，能夠有所捨有所得，這不僅對每個人的生活和工作有著重要的指導意義，對於我們弘揚優秀傳統文化、實現國家的文化自信也大有裨益。

《山海經》

有一種草可以治療抑鬱，有一種魚喫了就不再畏懼打雷，有一種樹見到就不會迷路，有一種獸甚至可以喫掉龍，它們都是什麼呢？這是一部記載了「五方之山」「八方之海」「珍寶奇物」的古代實用地理書。該書刻畫了「鯀禹治水」「女媧造人」「夸父逐日」的神話故事，也有對於顓頊和黃帝的很多記述，被稱爲「古之語怪之祖」。在魯迅筆下，這是阿長心心念念送他的禮物，其中包含上古時期的地理、歷史、神話、天文、動物、植物、醫學、宗教以及人類學、民族學、海洋學和科技史等知識。在紀曉嵐編纂的《四庫全書總目提要》中，它是地理書的首要，還被稱之爲最古的小説。它甚至是一些誌怪和盜墓小説中怪事、怪物的總來源、總發端，「紅毛犼」「錦鱗蚺」甚至「痋術」等，已經是年輕人熟悉的神獸。這就是《山海經》，一部誕生於遠古時期、極富想象力的驚世駭俗之作。它的奇詭玄妙，使今天的年輕人腦洞大開，啟發人們體悟天、地、人、神、獸、怪的無窮奧秘。讀《山海經》，去探尋遠古時期影響思想觀念的洪荒之力，去求索華夏五千年文明的初心與神秘。

《史記精華》

《留侯世家》記載，破落貴族張良偶遇圯橋老人，得到《太公兵法》，學成後輔佐劉邦，「爲王者師」。他與眾將談論《太公兵法》，沒人聽得懂；劉邦聽了，卻能善用其策。張良説：「大概沛公是上天授命之人啊！」《史記》既是史書，又是一部政論集。政論家寫文章大多引經據典，司馬遷著《史記》是用更完備的史料論證自己的觀點。所以説司馬遷的偉大，不衹是記載了黃帝至漢初的歷史，而是在於他「究天人之際，通古今之變，成一家之言」。這「一家之言」，説的就是他的人生觀、歷史觀、宇宙觀。他信命而不認命，自強不息，具有悲天憫人的情懷。所以他借「圯橋進履」的傳説，證明劉邦是真命天子，卻又敢於對劉邦等得天命者犯下的錯誤提出批評，對懷才不遇、蒙受冤屈的人則報以同情。《史記》全書一百三十篇，五十二萬餘字，《史記精華》從中擷萃名篇，既不辜負太史公的良苦用心，又能讓今人感受輕鬆愉悅的閱讀體驗，從歷史的興亡中體悟天道與人事，品味「無韻之離騷」。

《資治通鑒精華》

孟子說：「孔子成《春秋》而亂臣賊子懼。」《春秋》大義，被歷代史家奉爲法則。唐末五代，藩鎮割據，天下大亂，人心不安。在那個兵強馬壯者就能當皇帝的時代，誰會在乎倫理與秩序？整個社會都迷失了方向。北宋建立後，結束了國家分裂的局面，人心思定，所以史家想要借《春秋》大義重建社會價值體系。先有歐陽修的《新五代史》，後有司馬光的《資治通鑒》。一部《資治通鑒》，二百九十四卷，三百多萬字，以編年體的形式展現了戰國至五代時期一千三百餘年的歷史。若你無暇通讀全書，又想有所涉獵，卻無從下手，《資治通鑒精華》就是爲你指點迷津、得以一窺這部史學巨著之端倪的捷徑。因爲本書所選篇目緊扣原典的主旨，以治亂興衰爲借鑒，以大義名分爲原則，涵蓋了歷代的主要大事件。在這個日新月異、信息爆炸的變革時代，你有沒有迷失方向？不妨嘗試從歷史中探尋安身立命之道。閱讀本書，上可以參悟人生、明白得失，中可以洞悉人心、增長閱歷，下可以充實學識、增加談資。

子

《六韜·三略》

很多人一提起「兵法」，首先想到的往往是《孫子兵法》《三十六計》，卻不知道《六韜·三略》絲毫不遜於前兩者。嚴格說來，《六韜》《三略》是兩本書。《六韜》作者是被譽爲「兵家之祖」的呂尚，也就是大名鼎鼎的姜子牙。《三略》的作者則是「張良拾履」故事裏的那位神秘老人黃石公。自古以來，《六韜·三略》就被譽爲「兵家權謀之祖」，姜子牙靠它輔佐武王興周滅紂，張亮靠它幫助劉邦定咸陽、滅項羽，建立西漢王朝。有人說《六韜·三略》這樣的兵法只適合在古代使用，這是大錯特錯的。因爲即使到了今天，也仍然有很多企業管理者把《六韜·三略》奉爲經典，並將它用於商業競爭、企業管理。雖然這是一本兵書，但它卻可以讓人擁有細緻的邏輯思維能力，學會如何從全局進行運籌和謀劃，學會如何鑒別和使用人才。就算是普通人，也可以在讀通《六韜·三略》之後，在自己的生活和工作中找準方向，實現最大的價值。

《孫子兵法》

在中外歷史上，有多少戰績輝煌的名將，隨著時間的推移，全都逐漸被遺忘了，但被稱爲「東方兵學鼻祖」的孫子以及他的《孫子兵法》，不僅沒有被忘卻，反而越發引起了人們的重視和崇敬。

《孫子兵法》自誕生至今已有兩千多年，在古代，它被廣泛地應用於戰爭，包括戰略戰術的製定、情報的搜集、戰區的選擇、攻防的轉換、作戰時機的選擇等；到了以「和平」爲主旋律的今天，全世界範圍內，《孫子兵法》都產生了極爲重要和廣泛的影響力。除了繼續在軍事、政治、外交等方面發揮重要作用和影響之外，《孫子兵法》還廣泛用於經濟、教育、商業、體育等各個領域，哈佛大學商學院甚至要求學生記誦《孫子兵法》的某些章節，以備日後經商之用。對我們普通人而言，通過《孫子兵法》來瞭解孫子的軍事思想，然後將其靈活轉化、應用，也足以給我們的學習、工作、生活帶來巨大的幫助。

《道德經》

春秋末年，天下戰爭頻仍，周朝守藏室之史老子棄官歸隱，騎青牛來到函谷關。官令尹喜求其寫下五千言，隨後西行，不知所蹤。《道德經》含有深刻的東方哲學思想，至今仍是人們認知宇宙與人生的經典，也被稱爲「玄而又玄」的學問。老子並非首倡尋找萬物總規律的人，從伏羲氏就認爲宇宙的一切總有一個根源，他沒有辦法用文字來說明，所以一畫開天，叫做「象」。那麼，把握規律就稱爲「執象」。由於執象依然有迷茫，於是才有老子破象而立道。但是，「道」究竟是什麼？老子說：「道可道，非常道」。他認爲衹有「致虛極，守靜篤」，「清靜無爲」才能顛覆性地掌握變化中的規律。現在人類的物質文明已獲得了高度發展，但是人類並沒有獲得幸福感，人類執迷於「有」，一再忽視老子的提醒「有生於無」。《道德經》於今人依然是最爲實用的經典，它可以重新梳理外在所有因素的趨勢，可以重新建立整體行動的框架，可以從身體的修真來鏈接萬物，由此來突圍今天人類的多重困境。

《鬼谷子》

他隱於世外，卻操縱天下格局；他的弟子出將入相，左右著列國的存亡，推動著歷史的走向。這個人因此被尊爲「謀聖」，他就是鬼谷子。鬼谷子其人，神秘莫測，關於他的身世，衆說紛紜。相傳他隱居在雲夢山鬼谷，所以自稱鬼谷先生。他門下弟子孫臏、龐涓，都是用兵打仗的能手；另外兩個弟子蘇秦、張儀，憑三寸之舌推行合縱連横之術，收到的奇效抵得上千軍萬馬。這樣的奇人留下的一本奇書——《鬼谷子》。該書原文祇有五千多字，卻是縱横家流傳至今爲數不多的代表著作之一，論述縱横捭闔的秘訣。比如其中「欲取先予」的處世哲學，擴散開來就包含了很多個維度：從戰場上臨強示弱、扮豬喫老虎，到營銷上滿減贈送的優惠項目，再到投資領域的賭徒心理，都跟這四個字分不開。如果祇是把《鬼谷子》當成運用謀略、揣摩人心的教科書，就低估了其價值。書中還包括軍事、政治方面的知識，甚至還有養生的學問。《鬼谷子》包羅萬象，是先秦諸子學中的一顆璀璨明星。

《莊子》

莊子貌似窮困潦倒，但是他卻因精神超拔而早已名聲在外。楚威王曾派人來聘請他做官，只見他正坐在河邊悠然垂釣。莊子卻指著水裏搖著尾巴游泳的烏龜，對使者說：「與其做一隻被宰殺後供奉起來的神龜，不如像它一樣自由自在。」莊子是戰國時期道家學派的代表人物，繼承了老子「無爲」的哲學思想，並且在宇宙觀、社會德用和養生氣論上均有推進。他所認爲的自由，是無所憑依的，是順其自然的。正如鯤鵬變化，扶搖直上九萬里，這才是逍遥的境界。莊子又借小蟲、小鳥之口嘲笑大鵬，反映了淺陋之人難以領悟大道的真諦。然而大鵬畢竟要禦風而行，相比之下，無所憑依的風才是絕對自由的象徵。在別人眼中，窮困潦倒是苦，莊子卻以不受名利的牽累爲樂。如果我們在工作和生活中遇到了一時過不去的坎兒，不妨用《莊子》化解内心的睏頓與焦慮，用「忘我」乃至「無我」的大智慧，用遨游天際的視野，面對現實的世界。

《世說新語》

年輕人必定向往「惟大英雄能本色，是真名士自風流」的生活，所以他們不會錯過一本被魯迅先生稱爲「名士教科書」，被今人叫作「名人酷生活實錄」的精選集。這本書記載了東漢末年到魏晉期間一批名士的言行。何爲名士？泛指知名人士，特指恃才自傲、不拘小節的牛人。因爲學者們的集體喜愛，特向國家教育管理機構推薦該書，進入中小學生的必讀書目。它就是《世說新語》。

沉浸書中，我們將置身於一個比現在更重視「顏值」的時代，領略魏晉名士們如何「一生不羈放縱愛自由」；嵇康、阮籍、劉伶們敏捷的才思、優雅的舉止、曠達的胸懷，甚至種種狂放怪異的言行，無不彰顯著自然率真的性情，彰顯著處於青年時代的中華文明那昂揚湧動著的生命力。我們可以品味到它的語言之美、生活之美、哲思之美，更能夠從中找尋到自己內心未被喚醒的詩意與對現實的超越。

《千字文》

《千字文》是一篇奇文，其問世充滿了傳奇色彩。梁武帝喜歡王羲之的書法，就命人從王羲之的眞跡中找出一千個不同的字來教子孫識字、練字，卻因雜亂難記，而沒有取得太好的效果。梁武帝就找來員外散騎侍郎周興嗣，讓他將這些字編成一篇通俗易懂的文章。周興嗣花了一整夜時間，編撰出一篇條理清晰、引經據典的韻文，不但文采超然，而且上至天文，下及地理，中曉人和，將各種知識熔爲一爐，實爲一部生動的小百科全書。周興嗣也因用腦過度，導致一夜之間鬚髮皆白。由於漢字簡化、異體字合併，所以現在《千字文》並不是一千個不同的漢字了。儘管如此，也無損其文采。作爲傳統啟蒙讀物，《千字文》的影響力延續至今。胡適從五歲開始念「天地玄黃，宇宙洪荒」，直到他當了十年教授，還在回味這兩句話，可見《千字文》義理之妙。我們可以從中感悟中國古老的宇宙觀，體會古人修身的規範和原則，讚歎燦爛的歷史文明，在恬淡的心境中安然自處。

《百家姓》

說起姓氏，人們熟悉的是成書於北宋初年的《百家姓》，它是我國流行時間最長、應用範圍最廣的蒙學教材之一，與《三字經》《千字文》併稱爲「三百千」。雖然《百家姓》的內容沒有文理，但讀起來朗朗上口，易學易記，可以讓孩子認識漢字，也可以指導孩子們的日常生活，建立好的生活習慣。慎終追遠，姓氏可以讓孩子們瞭解祖先的血脈延續，積累和傳承家族文化。從遺傳基因學上形成華夏民族的血脈相連與共同認知。光宗耀祖，詩書繼世，是中國農耕社會的優良傳統。姓氏文化在中國五千年多年的文明史中擔當重任，戰國時期的《世本》，較早地記載了從黃帝到春秋時期天子、諸侯、大夫的姓氏、世系、居邑，但是這本書到宋朝就失傳了。總之，要想瞭解中國源遠流長的姓氏文化，《百家姓》是一本必備的簡易入門書籍。「書香傳家」系列的《百家姓》，不但介紹了每個姓氏的由來，還列舉了各個姓氏的名人，兼具知識性與趣味性。

《容齋隨筆》

上過學的人都知道筆記的重要性，然而老師講的課是一樣的，學生的筆記卻各不相同。現在學霸的筆記備受推崇，因爲展現了他們卓越的學習方法和對知識的思考。古代文人記筆記的習慣由來已久，魏晉南北朝就有常璩的《華陽國志》、干寶的《搜神記》、劉義慶的《世說新語》等名作，這些筆記小說大多是見聞隨筆，或從書中摘錄片段的合集。唐宋以後，歷史掌故、辯證考據類的筆記多了起來。《容齋隨筆》爲南宋大才子洪邁（號容齋）耗時四十年整理而成，一共分爲五部分，有七十四卷，含一千二百多則，歷史掌故、典章制度、社會風俗、天文曆算、文學藝術，無不涵蓋，特別是歷史人物、歷史事件相關的內容，考證十分詳實，議論頗有見地，還糾正了不少經史中的錯誤，是宋人筆記中內容最豐富、學術價值最高的一部。《容齋隨筆》是一本國學百科全書，當成學霸的筆記來讀也未嘗不可，一方面可以增長見聞，一方面可以領悟讀書的方法，並以此爲博覽經史原典的敲門磚。據史料記載，偉人毛澤東生前非常喜愛閱讀此書，直至離世前仍由工作人員爲其閱讀該書部分內容。

《三字經》

在中國傳統的啟蒙書籍中，《三字經》必然是最經典的一部，幾乎人人都熟悉開頭那兩句——人之初，性本善。這三字一句的形式，很具備兒歌的特點，易於誦讀和記憶。《三字經》雖短卻精，且內容十分豐富，將歷史、天文、地理、道德等方面的知識和大量典故融彙串連在一起，堪稱是一部極簡版的中國文化「小百科全書」，因此有「熟讀《三字經》，可知千古事」的說法。《三字經》從誕生之日起就大受歡迎，廣為流傳，與《百家姓》《千字文》併稱中國傳統蒙學三大讀物。讀《三字經》可以發現，書中不但歸納總結了許多古代的文化常識，還告訴人們應當勤學好問、尊師重道、謙恭禮讓等人生的道理，體現了積極向上的精神，雖已暢行千百年，卻歷久彌新，在當今時代仍然具備知識性和實用性的國學入門的作用，可以給人們以簡易的知識和正向的力量。

《傳習錄》

曾有人給出過這樣的評價，中華上下五千年，能「立德、立功、立言」三不朽的聖人，衹有兩個半：孔子、王陽明，曾國藩只算半個。孔子，至聖先

師，無人不知；曾國藩，湘軍首領，中興名臣。而王陽明，最讓人熟悉的莫過於「知行合一」「心外無物」的「陽明心學」了。想要瞭解孔子，可以讀《論語》；想要瞭解曾國藩，可以讀《曾國藩家書》；想要瞭解王陽明，自然要讀《傳習錄》。《傳習錄》之名取自《論語》中曾子的話：「吾日三省吾身，為人謀而不忠乎？與朋友交而不信乎？傳不習乎？」由此可見，想要讀懂《傳習錄》，需要具備一定的儒學經典的基礎。作為儒家作品，《傳習錄》的核心自然也是明德至善，知行一體。而王陽明所提出的「知行合一」則是強調了要知善同時行動，即理論與實際的踐行。因此，讀《傳習錄》，能夠得到的最大收穫就是在日常的工作生活裏，摒棄外界的干擾，修養自己的良知，做到問心無愧，持之以恒。曾經做過三家世界五百強CEO的日本企業家稻盛和夫，就將陽明心學內化為企業經營之道。

《了凡四訓》

命運是一個很神奇的東西。有的人認為「命由天定」，但也有人堅信「我命由我不由天」。明朝學者袁了凡十七歲時因為一位算命先生的話而深陷「宿命

論」，直到三十七歲時在雲谷禪師的開導下醍醐灌頂、頓悟至理，確定了「命由我作，福自己求」的立命之道，此後數十年，袁了凡堅持行善、積極進取，最終「逆天改命」。「父母之愛子，則爲之計深遠」的舐犢之情，晚年的袁了凡有感於自己一生的經歷，給兒子寫下了《了凡四訓》，全書通過立命之學、改過之法、積善之方、謙德之效四個部分，講述了如何依靠後天努力來「修福改命」。晚清名臣曾國藩對《了凡四訓》極爲推崇，他讀過之後給自己改號爲「滌生」，並說：「滌者，取滌其舊染之污也；生者，取明袁了凡之言，『從前種種，譬如昨日死；從後種種，譬如今日生也。』」讀《了凡四訓》，讓你領悟命運真相，明辨善惡標準，堪稱人生必讀的智慧之書。

《紅樓夢圖詠》

相信讀過《紅樓夢》的人，一定都會被書中那些性格鮮明、栩栩如生的人物所打動，甚至對他們傾注或愛或憎的情感，大有恨不相識的遺憾。或許你會想，這些人物應該是怎樣的形象，比如什麼是「似蹙非蹙罥煙眉」，怎樣算「似喜非喜含情目」，「唇不點而紅，眉不畫而翠」會是什麼樣的美。那麼，有沒有人根據原著的描寫，捕捉人物的特點從而描繪出他們具體的形象呢？當然，爲《紅樓夢》創作的繪畫作品其實有很多，其中的《紅樓夢圖詠》是紅樓繪畫史上水平較高、名氣也較大的一部。這是一部木版畫集，共繪製了通靈寶玉、絳珠仙草、警幻仙子、寶玉、黛玉、寶釵、元春、探春、湘雲、妙玉、王熙鳳等共約五十幅插圖，以高超的版畫技藝，展現出畫作者改琦作品的神韻，所繪形象傳神，線條流暢。如其中黛玉一幅，便以弱不禁風的身姿，刻畫出人物「閑靜時如姣花照水，行動處似弱柳扶風」的氣質。

《芥子園畫譜精品集》

顧愷之、吳道子、張擇端、唐伯虎、齊白石等畫壇巨匠，留下了大量傳世名作。他們無不技藝精湛，卻也都是從零基礎開始學習的。每個人的學習途徑或許不同，如果有一套人人都能看懂的簡明教程，國畫技藝就會更容易讓普通人掌握。比如齊白石大師，原本是雕花木匠，二十歲那年在顧主家無意間看到一本叫《芥子園畫譜》的書，覺得書中循序漸進的講解非常實用，讀過一遍就對繪畫有了一定的理解。所以，即使說白石老人的繪畫藝術之路最初起步於此書，也並不爲過。此外，任伯年、黃賓虹、傅抱石等繪畫大家也曾用心研習此書。「芥子園」是清初名士李漁（號笠翁）在金陵的別墅，《芥子園畫譜》最初就是在李漁的主持下，由王概、王蓍、王臬三兄弟編繪而成的。本書具有完備的體例，對用筆、寫形、佈局等繪畫的基礎技法做了詳盡的講解和展示，解析了歷代名家的特點，匯集了前人的畫論精華，從問世至今，一直是學習國畫的必修教材。

《中國京劇經典臉譜》

「臉譜化」這個詞，現在一般用來批評藝術作品塑造人物簡單化和概念化。然而與此相反，這恰是「臉譜」這一藝術形式的優點，使其能夠貼合傳統戲曲的表現方式。臉譜，是中國戲曲中特有的化妝藝術，通過按照一定譜式勾畫出的圖案造型來突出角色的性格、身份、年齡、品質等特徵，已形成一些相對固定的代表性顏色，如紅色的代表忠勇、正直；黑色的代表勇猛、直爽；白色的代表奸詐、狠毒；藍色的代表剛強、驍勇；黃色的代表凶暴、沉著，這與歌曲《說唱臉譜》的詞很一致：「藍臉的竇爾敦盜御馬，紅臉的關公戰長沙，

黃臉的典韋、白臉的曹操，黑臉的張飛叫喳喳。」因此，臉譜具有「辨忠奸、寓褒貶、別善惡」的功能。《中國京劇經典臉譜》一書收錄的臉譜作品，是在漫長的歲月中逐漸演變、完善進而固定的藝術形象，每一幅都構圖精巧，色彩絢麗，筆法細膩，是不可多得的藝術珍品。

創作者孫世良先生是中國著名京劇劇作家、京劇臉譜藝術家翁偶虹先生的再傳弟子，北京市非物質文化遺產傳承人，就職於國家京劇院藝術中心，爲專業京劇臉譜畫家。

集

《楚辭》

《楚辭》的語言文字可以美到什麼程度？光是書中「茂行」「陸離」「微歌」「嘉月」這類典雅的人名，就足已令人驚豔了。《楚辭》的夢幻世界可以有多浪漫？有青衣白裳、箭指西北的東君，他是掌管太陽的神；還有與日月齊光的雲中君，他是飄渺的雲神。衆神都有人的情感，或泛舟江上，或歡聚宴飲，或幽怨哀傷。楚辭的產生，離不開楚國從「荊蠻」發展到「楚霸」的歷史條

件，長江流域的巫覡文化，與中原地區的禮樂文化相交融，就有了生機勃勃的楚文化。《楚辭》是中國文學史上第一部浪漫主義的詩歌總集，獨創一體，別具一格。全書以屈原的辭賦爲主，其餘各篇承襲屈原作品的形式，運用楚地的文學樣式、方言聲韻，故名《楚辭》。梁啟超說：「吾以爲凡爲中國人者，須獲有欣賞《楚辭》之能力，乃爲不虛生此國。」《楚辭》展現了以屈原爲代表的愛國精神、豪邁氣魄和浪漫情懷，因此熟讀《楚辭》，能培養書生俠氣，能讓我們一生受益。

《唐詩三百首》

璀璨大唐三百年，最具代表性的事物是什麼？是天可汗唐太宗李世民？是中華文明的巔峰開元盛世？還是一代女皇武則天？都不是，最能代表璀璨大唐的事物就是唐詩。在唐詩中你能感受到大唐盛世兼容並包的絕代風華，那裏有王勃從容浩蕩的英氣，有李白綉口吐出的巍峨之氣，有李賀苦吟的不羈之氣。在唐詩中你能領略到大唐的厚重，大唐的筋骨，那裏有杜甫的低沉恢弘之氣，有樂天自在的千百鮮明之氣，有邊塞狂歌的狷狂凜冽之氣。聞一多先生認爲：「一般人愛說唐詩，我卻要講『詩唐』，『詩唐』者，詩的唐朝也，懂得了詩的唐朝，才能欣賞唐朝的詩。」在唐詩中感受大唐，以詩教來熏習和浸染，觸摸到文化的江山，讓胸懷變得更寬廣更博大。不讀唐詩，無法面對優秀的古人，不知道東方情感之由來，亦不能精準表達自己的情感。

《宋詞三百首》

形成於唐，盛極於宋，前與唐詩爭奇，後與元曲鬥艷，是宋代文學最有代表性的成就，這種文體就是「宋詞」。可以說，有一定文化基礎的中國人都知道宋詞，也都可以不經意間脫口而出一二佳篇名句。如充滿豪情時，可以說「想當年，金戈鐵馬，氣吞萬里如虎」；心懷憂愁時，可以說「這次第，怎一個愁字了得」；陷入相思時，可以說「酒入愁腸，化作相思淚」。似乎每一種情緒，在宋詞中都已經有了完美的表達。如何更好地領略宋詞的精彩？《全宋詞》中收錄了一千三百餘位詞人的作品近兩萬餘首。顯然，通讀這麼多的作品並不現實，那麼優秀的選本便會大受歡迎。《宋詞三百首》就是這樣的選本。三百首不多，可以很快通讀；三百首不少，可以兼收各個時期、各個派別的衆多名家名作。這本《宋詞三百首》，囊括宋詞精華，讀後可以感悟宋詞之美，並初步瞭解宋詞的概況；所選皆爲名篇，便於背誦，有助於古典文學修養的提高，使自己不論言談還是寫作都更有氣質。

《唐宋八大家集》

提起「唐宋八大家」，很多人會問：「爲什麼沒有李白、杜甫、白居易？爲什麼沒有柳永、陸游、辛棄疾？」因爲這八個人代表了唐宋時期散文的最高水準，而非詩詞。我們都知道，唐朝是詩歌的黄金年代，而沒有體裁和題材方面的創新，就不會湧現出那麼多不朽的傑作。白居易提出「文章合爲時而著，歌詩合爲事而作」的口號，倡導「新樂府運動」。與之相呼應的正是韓愈、柳宗元倡導的「古文運動」，他們同樣強調寫文章要言之有物。「言之有物」看似容易，我們上學時，語文老師講作文的時候就一再強調這一點，可是文筆不好就詞不達意，文筆太好又總是變著法地運用修辭、引用典故、堆砌辭藻，顧此失彼，文章難免會「金玉其外，敗絮其中」。「唐宋八大家」的文章，推崇先秦諸子和《史記》《漢書》，一掃六朝辭賦的艷俗與空洞，沖破四六駢偶的程式和窠臼，文章形式雖然復古，但是內容推陳出新，很接地氣，是老百姓讀得懂的古文，完美展現了中華文化的「文質彬彬」。這八位文曲星就是：韓愈、柳宗元、歐陽修、王安石、蘇洵、蘇軾、蘇轍、曾鞏，他們都有驚天地、泣鬼神的千古文章傳世。

《小窗幽記》

互聯時代來臨，世人莫不在加快節奏追逐社會步伐，關於生活的本真、人生的目的，人們實在難以顧及。有一部書，用它雋永的文思，淡雅的文字，指引你爲人處世，開導你在平淡中領略人生，它就是《小窗幽記》。「花繁柳密處，撥得開，才是手段；風狂雨急時，立得定，方見腳根」這是勸誡成功者的良藥；「情最難久，故多情人必至寡情。性自有常，故任性人終不失性」這是冷靜處事的心思。「興來醉倒落花前，天地即爲衾枕；機息忘懷磐石上，古今盡屬蜉蝣」這是過來人燈火闌珊處的迴眸。明代陳繼儒以其豐富的經歷、遠博的思想、高峻的修養撰得《小窗幽記》這部奇書，將修身、立德、爲學、致仕、立業、治家、養生的全部智慧和原則融入此書，文字跳脫愜意，格調超拔，以小喻大，充滿了諧趣與真知。面對人生，作者給出的答案還將久久的流傳下去，那就是「時光，濃淡相宜，人心，遠近相安。流年，長短皆逝。浮生，往來皆客。」

《納蘭詞》

他是文武俱佳的翩翩公子，他是康熙皇帝御下一等侍衛，他是才華橫溢的傷心詞人。他，就是「清詞三大家」之一的納蘭性德。納蘭文武兼修，十七歲入國子監，十八歲考中舉人，二十二歲康熙賜進士出身。深受康熙帝賞識，多隨駕出巡。三十一歲英年早逝。納蘭性德二十四歲時將詞作編選成集，名爲《側帽集》，又著《飲水詞》。後人將兩部詞集增遺補缺，共三百四十九首，合爲《納蘭詞》。「今古河山無定據。畫角聲中，牧馬頻來去」是對山河流逝的慨嘆；「山一程，水一程，身向榆關那畔行，夜深千帳燈」是長途行軍中軍士的苦悶；「被酒莫驚春睡重，賭書消得潑茶香，當時只道是尋常」是失去妻子的丈夫回憶與亡妻昔日美好的酸楚；「西風多少恨，吹不散眉彎」展現的是深情男子的無盡哀思。

儘管清詞成就比不上宋詞，但也在文學史上留下了自己獨特的印記。清詞代表《納蘭詞》，不僅在清代詞壇享有很高的聲譽，而且在中國文學史上也佔有光彩奪目的一席。翻開《納蘭詞》，走近這位傳奇男子的一生，去體味，去發現，清詞怎一個「真」字了得。

《曾國藩家書》

有學者說：「五百年來，能把學問在事業上表現出來的，祇有兩人：一爲明朝的王守仁，一則清朝的曾國藩。」曾國藩作爲集政治家、戰略家、理學家、文學家、書法家等於一身的晚清名臣，因官居高位而無暇著書立說。不過，他寫給家人的大量家書，就成爲瞭解曾國藩的第一手資料，同時也是瞭解清末社會狀況的寶貴史料。家書，即家人之間來往的書信。在古代，家書是離家在外的人與家中親人的主要聯係方式之一。家書可簡可繁，可以只表達思念及關切之情，也可以暢敘經歷及感觸，通常都很真實，沒有虛假客套。《曾國藩家書》中收錄了曾國藩寫給祖父、父母、叔父、兄弟、子女等不同人的書信，其政治理念、治軍思想、治學修身、治家教子、處世交友等也都在其中得到了充分的體現。這些內容使這部《曾國藩家書》除了具備史料價值，還是一部生活處世的實用寶典，對我們的日常生活也有可資借鑒的意義和價值。

《人間詞話》

「最是人間留不住，朱顔辭鏡花辭樹。」作爲民國時期最爲著名的國學大師之一，能夠寫出這樣優美的詞句，對王國維來說實在不算稀奇；相較於他的詞作，《人間詞話》才是真正讓他在廣大文藝青年心中「封神」的傑作。就算是沒有看過《人間詞話》的人，也能隨口說出「古今之成大事業、大學問者，必經過三種之境界」。作爲中國文藝理論里程碑式的作品，《人間詞話》首次將西方美學思想融入到中國古典詩詞的點評中，你能想象，這樣一本薄薄的小冊子竟然蘊含著康德、叔本華的整套美學體系？更爲重要的是，在這本書中，王國維融會貫通，提出並建立了獨特的文藝理論體系，並成功勾起了廣大文藝愛好者們對於古典詩詞的興趣，很多人就是從這本書開始，成爲文學家、學者和文藝批評家的。如果你也對古典文學特別是古典詩詞感興趣，那麼一定要讀一讀這本《人間詞話》。

圖書在版編目（CIP）數據

人間詞話 / 王國維著 ; 崇賢書院釋譯. -- 北京 : 北京聯合出版公司，2015.8（2022.3重印）
（書香傳家 / 李克主編）
ISBN 978-7-5502-5745-0

Ⅰ. ①人… Ⅱ. ①王… ②崇… Ⅲ. ①詞（文學）－詩詞研究－中國－古代②《人間詞話》－注釋③《人間詞話》－譯文 Ⅳ. ①I207.23

中國版本圖書館CIP數據核字(2015)第164664號

書名　人間詞話
著作者　王國維 著　崇賢書院 釋譯
出品人　趙紅仕
責任編輯　李 微
出版發行　北京聯合出版公司
地址　北京市西城區德外大街83號樓9層
　　郵編：100088
策劃經銷　近道堂
印刷　吳橋金鼎古籍印刷廠
字數　一百四十千字
開本　宣紙八開
印張　二十二
版次　二〇一五年八月第一版
　　二〇二二年三月第三次印刷
標準書號　ISBN 978-7-5502-5745-0
定價　肆佰捌拾圓整（一函兩册）